W9-BTM-099

FÊTE FATALE

William Katz est l'auteur de nombreux best-sellers internationaux dont *Fête fatale* est certainement le plus connu. Diplômé de l'université de Chicago et de Columbia, William Katz a, avant de devenir romancier, travaillé au *New York Times Magazine* ainsi que pour le gouvernement américain.

WILLIAM KATZ

Fête fatale

ROMAN TRADUIT DE L'ANGLAIS (ÉTATS-UNIS) PAR DANIELLE MICHEL-CHICH

PRESSES DE LA CITÉ

Titre original :

SURPRISE PARTY
Publié par McGraw-Hill Book Company

ISBN 978-2-253-17375-5 – 1re publication LGF

Prologue

Il contempla sa sixième victime, fier de son œuvre. Elle était étendue là, inerte, comme les précédentes, tuée à l'aide de deux armes. Sa chevelure, d'une couleur intense et lumineuse, s'étalait dans l'herbe. Il savait que l'on découvrirait bientôt son corps et que la police apprendrait ainsi qu'il avait réussi une fois de plus.

Il lui fallait une autre victime. Il en avait fait la promesse et il ne pouvait manquer à sa parole. Il l'avait déjà choisie et savait tout d'elle. Elle n'aurait pas plus de soupçons que les autres et ne résisterait pas : elle se contenterait elle aussi de jouer son rôle comme si elle suivait les indications d'un metteur en scène de talent. Tout se passerait dans les temps, comme pour ses proies précédentes.

Et tout serait très facile.

Spencer Cross-Wade regarda la photo de la sixième victime avec découragement. Quelle était la clé de cette énigme ? La formule ? Le mobile ? Comment ce monstre avait-il pu échapper à toute l'équipe de détectives chargés de l'affaire ? Il savait que le tueur frapperait encore et qu'une fois de plus il devrait affronter ses supérieurs, rapporter un nouveau meurtre de femme et admettre que cette journée encore avait été stérile pour la police new-yorkaise. Mais il était décidé à tout mettre en œuvre pour éviter cela.

C'était devenu une idée fixe, une obsession pour cet homme pourtant calme et tranquille.

Trouver l'assassin était devenu une nécessité.

1

New York, novembre 198...

Ils étaient assis l'un en face de l'autre à la table du petit déjeuner, dans leur grand cinq-pièces donnant sur Central Park West. Samantha avait trente-cinq ans, des yeux bleus et des cheveux châtains qu'elle portait longs ; elle était incroyablement heureuse. Depuis huit mois, elle vivait une lune de miel avec Marty, et la seule pensée qu'un nuage pourrait menacer son mariage lui paraissait inimaginable. Certaines unions sont faites pour durer, et elle croyait avec ferveur que la leur était de ce type.

— Je suis toujours sous le coup de la surprise, dit Marty.

Samantha sourit, comprenant à quoi il faisait allusion.

— Marty chéri, c'est dans plusieurs semaines.

— C'est vrai, mais c'est la première fois que ma femme organise une soirée pour mon quarantième anniversaire. Laisse-moi en profiter. As-tu fait la liste des invités ?

— Bien sûr. Je veux inviter tous les gens qui comptent pour toi.

— Cela va faire pas mal de monde.

— Je vais m'y prendre assez tôt. Tu verras, il n'y aura aucune défection.

— Sauf Mel Pierce : il passe toujours décembre à Aspen.

— Eh bien, il enverra un télégramme.

Samantha se pencha au-dessus de la table et fixa Marty, qui soutint, comme toujours, son regard.

— Marty, reprit-elle, es-tu absolument sûr de la date ?

— Bien sûr !

— Le 5 décembre ?

— C'est le jour de mon anniversaire.

— Mais c'est un jeudi !

— Sam, dit Marty en soupirant. Nous en avons déjà parlé. Je désire vraiment que cette soirée ait lieu le jour même de mon anniversaire. Le jeudi 5 décembre.

Puis il baissa les yeux et resta silencieux pendant quelques instants. Peut-être réfléchissait-il au petit discours qu'il prononcerait à cette occasion, pensa Samantha, ou à la liste des amis qu'il aimerait retrouver. Elle le regarda en songeant aux changements qu'il avait apportés dans sa vie et se dit une fois de plus qu'elle avait bien de la chance.

Un an plus tôt, Samantha Reardon était rédactrice dans une petite agence de publicité et arrivait à peine à payer le loyer de ce qu'elle appelait sa « chambre d'étudiante » dans un quartier pauvre de Manhattan. Les hommes qu'elle rencontrait sortaient tous de mariages ratés, des êtres meurtris et déprimés cherchant une oreille pour déverser leur histoire, quelqu'un qui prenne leur défense contre leur mégère de femme, les avocats complices, leur belle-famille faiseuse d'embrouilles. Samantha avait passé bien des soirées à écouter, à partager la souffrance de ces hommes dont les merveilleuses unions se terminaient au bureau des divorces du tribunal. Non, cela ne lui arriverait pas. Elle cherchait désespérément un homme qu'elle pourrait aimer et qui l'aimerait, pas l'un de ces éclopés du mariage. Elle attendrait, comme elle l'avait toujours fait, l'homme qui lui était destiné, et ne se contenterait pas d'un à-peu-près.

Mais elle était lasse d'attendre, fatiguée de chercher cet homme idéal.

Puis, un jour, au cours d'une soirée de promotion pour un livre de régime, elle rencontra Martin Everett Shaw. Marty. Mart. M. E.

Samantha avait grandi à Long Island : son père était avocat d'une compagnie aérienne et sa mère professeur d'anglais. Elle avait beaucoup de classe et de style, tout comme Marty, qui avait un rayonnement magnétique, pas seulement à cause de sa stature d'athlète et de son goût pour assortir ses chemises et ses costumes. Il avait l'air décidé. Marty pouvait traverser une pièce et faire trembler le parquet sans même remarquer qui était sur son passage. Sa voix était ferme et assurée sans qu'il ait jamais besoin de l'élever. Il incarnait la puissance. Samantha le sentait et plongea avec délice. Elle l'imaginait debout à 6 heures du matin pour se préparer, travaillant jusqu'à 23 heures si besoin était, et tout cela s'était confirmé.

— Tu as un déjeuner important aujourd'hui ? lui demanda-t-elle à la fin du repas.

— Je ne pense pas, répondit-il en pliant sa serviette avec soin. Mais en général il me tombe toujours quelque chose dessus à la dernière minute. Si j'ai du temps, j'irai faire un tour dans une librairie : je veux acheter ce livre qui vient de sortir sur la gestion des sociétés.

— Tu seras à l'heure ce soir ?

— Tu plaisantes ! Je te l'ai déjà dit, chérie : lorsque l'on a sa propre affaire, on est maître de tout, sauf de son temps. Il faudrait que tu voies la pile de documents.

— Mais personne ne peut… ?

— Non, je ne fais confiance à personne.

C'était tout à fait le genre de propos que le père de Samantha aurait pu tenir. En fait, Marty lui rappelait beaucoup son père, ce qui expliquait probablement bien des choses.

Marty comblait un manque que Samantha ressentait depuis l'enfance. Le foyer dans lequel elle avait grandi avait toujours été glacial ; ses parents avaient mené des vies très indépendantes et avaient peu de choses à se dire, encore moins à lui dire. Elle avait été enfant unique sans jamais bénéficier de l'attention exclusive que l'on reçoit généralement dans ce cas. Et, si elle avait idolâtré son père, c'était de loin seulement. Elle avait eu, à sa mort, l'impression de ne pas l'avoir connu.

Marty lui accordait l'attention et la reconnaissance dont elle avait tant besoin : même dans les restaurants de luxe où il l'invitait, il ne regardait qu'elle et s'intéressait à ce qu'elle disait, comme si le délicieux repas était secondaire. Avec ses parents, Samantha s'était sentie comme un ornement, l'enfant-prétexte exigé dans tout foyer américain. Marty lui donnait le sentiment d'être désirée simplement pour ce qu'elle était.

Elle s'identifia à lui, probablement parce qu'elle avait perdu son père pendant son adolescence, et la similitude de ce qu'ils avaient tous deux vécu ne fit que renforcer leurs liens. Samantha avait du mal à croire que cet homme si fort n'avait pas de famille du tout : elle avait été profondément émue d'apprendre qu'il avait perdu ses parents très jeune et qu'il avait dû vendre des abonnements à une revue pour survivre, le reste de sa famille l'ayant abandonné. Samantha l'imaginait allant de ville en ville à la recherche de petits emplois de représentant de commerce afin d'épargner suffisamment d'argent pour s'installer à New York et monter sa propre affaire.

Maintenant il avait une famille, ou tout au moins une femme. Il avait quelqu'un à qui parler, quelqu'un qui prenait soin de lui. Samantha avait toujours imaginé qu'elle épouserait un homme issu d'une grande famille, qui lui apporterait les parents qu'elle n'avait jamais eus, mais elle avait abandonné, sans regret, ce rêve pour Marty.

Seuls ses yeux lui étaient impénétrables : ces yeux vigilants et observateurs qui se détournaient parfois comme par instinct de protection ; peut-être exprimaient-ils la dure réalité du monde des affaires. Peut-être aussi témoignaient-ils de l'enfance difficile de Marty, de son sentiment de solitude qui donnaient à Samantha l'envie de le protéger.

Elle consacrait maintenant toute son énergie aux préparatifs de la soirée d'anniversaire. Elle n'avait pu lui en ménager la surprise, car Marty partait souvent en voyage d'affaires et elle voulait être sûre que l'invité d'honneur serait présent ce jour-là ; mais elle sut garder le secret le plus important, certaine qu'il ne le découvrirait jamais. Cela rendrait la soirée inoubliable et ferait de la fête ce qu'elle souhaitait vraiment : une vraie surprise-partie, au sens propre du mot.

Marty jeta un coup d'œil à sa montre, se leva et embrassa Samantha avec une affection non dissimulée, particulièrement rare chez un homme d'affaires aussi pris par son travail et son succès.

— Je pars, annonça-t-il.

Samantha entendit l'ascenseur s'arrêter puis redescendre.

Elle alla jusqu'à la fenêtre du salon, d'où elle contempla l'enchevêtrement des chemins qui traversaient Central Park. Les dernières feuilles d'automne tombaient : l'une d'entre elles semblait voler vers un jeune homme d'une vingtaine d'années qui se promenait dans le parc les mains dans les poches, en direction de la Cinquième Avenue. Ce paysage était superbe, et pourtant Samantha savait qu'il ne pouvait être l'unique responsable de l'incroyable paix intérieure qu'elle ressentait pour la première fois de sa vie. Elle vit Marty sortir de l'immeuble et se retourner afin de lui faire signe. Il était bien le responsable de son bonheur.

Elle jeta un coup d'œil circulaire à l'appartement : ils l'avaient voulu moderne, avec du blanc, du métal, des tubes d'éclairage indirect un peu partout. Le décor contrastait avec le bâtiment du début du siècle, très solennel avec sa façade de pierre grise et ses concierges en gants blancs. Samantha décrocha le téléphone et composa un numéro qui lui était familier.

— Lynne ? C'est Sam. Marty vient de partir. Tu veux passer ?

Lynne arriva. Elle était dans le secret et venait l'aider. À cette heure-là, Samantha savait que Marty était dans un taxi qui le conduisait au bureau.

Mais personne n'était au courant de son secret à lui.

Lynne Gould faisait partie de ces femmes infatigables pour qui les journées semblaient avoir vingt-six heures. Elle se dévouait pour un nombre incroyable de bonnes œuvres, dirigeait une galerie de peinture et s'occupait de ses deux jeunes enfants, le tout en étant toujours tirée à quatre épingles. Elle habitait l'appartement d'en face et était devenue la meilleure amie de Samantha depuis que celle-ci avait emménagé juste après son mariage. Lynne, avec son mètre soixante-dix, aurait pu intimider Samantha si sa chaleur naturelle ne l'avait au contraire rapidement mise en confiance.

Elle arriva quelques minutes après le coup de fil de Samantha, munie de son bloc et de son crayon.

— Je suis prête, annonça-t-elle. Je suppose que nous allons passer la matinée à explorer le triste passé de Marty.

Samantha fit d'abord du café.

— Tu ne peux pas savoir avec quelle impatience Marty attend cette soirée. Il ne cesse d'en parler. Ce matin même…

— Je suis sûre que c'est la première fête que l'on organise en son honneur depuis qu'il est adulte, dit Lynne.

— Comme il n'a pas de famille, c'est probablement le cas.

— Il va falloir que je prévoie une soirée pour Charles ; du moins si j'arrive à le faire rester à la maison suffisamment longtemps pour couper le gâteau.

— Je t'aiderai, promit Samantha. Il sera aussi excité que Marty.

Mais son visage eut à ce moment une expression légèrement inquiète.

— Tu es sûre que c'est une bonne idée ? demanda-t-elle, comme pour trouver un encouragement.

— Tu plaisantes ? répliqua Lynne. C'est génial ! Tu te rends compte : plonger dans le passé de Marty, contacter ses maîtres et ses professeurs et leur demander un message pour son anniversaire ! Si quelqu'un faisait cela pour moi, je serais folle de joie !

— J'espère simplement ne pas réveiller des souvenirs pénibles.

— Allons, Sam. Tu sais bien ce que Marty raconte de son enfance. Elle a été difficile, bien sûr, mais ce qu'il ressent surtout, c'est de la nostalgie, comme nous tous. Non, c'est une idée formidable.

Lynne avait proposé d'appeler les renseignements téléphoniques pour retrouver les personnes que Marty avait connues dans d'autres régions où il était allé à l'école ou avait travaillé ; Samantha, quant à elle, devait appeler les gens eux-mêmes. Cela lui permettait de gagner du temps et surtout de se sentir moralement soutenue par son amie pendant les préparatifs de la fête.

Samantha put bientôt s'installer dans l'entrée, devant la petite table blanche du téléphone, pour contacter la première personne qui la relierait au passé de Marty, à ces racines dont il parlait tant.

Son cœur battait de plus en plus vite. Oui, Lynne avait raison : c'était une idée formidable, une preuve d'amour extraordinaire. Elle repensa aux récits que Marty lui avait faits de ses frasques à l'institut de journalisme de l'université où il avait appris les subtilités des relations publiques. Combien de fois ne lui avait-il pas raconté comment un jour il avait, pour mettre en pratique un cours de publicité, arpenté la ville d'Evanston avec un ami en allant de magasin en magasin vendre des boîtes de graisse de coude en emballage cadeau. Marty se vantait d'avoir obtenu vingt-trois commandes pour lesquelles le président de l'université les obligea à présenter des excuses.

Samantha obtint sa ligne.

— Medill, dit la standardiste.

— Bonjour. J'ai besoin d'aide pour un problème assez particulier.

— Oui, madame ?

— Je voudrais obtenir des renseignements sur un ancien étudiant.

— Êtes-vous un employeur ?

— Pas du tout. Je suis son épouse. Je vais vous expliquer : mon mari est de la promotion 1966 et j'organise une soirée pour son anniversaire. À cette occasion, je voudrais réunir des anecdotes, des souvenirs de ses professeurs.

— Effectivement, c'est une requête assez particulière.

— Je sais, répondit Samantha avec un petit rire gêné. Si cela vous dérange…

— Non, non. Pas du tout. Donnez-moi son nom et j'irai chercher l'annuaire. En avez-vous un exemplaire ?

— Non, Marty l'a égaré au cours d'un déménagement. Il s'appelle Martin Everett Shaw et a eu son diplôme avec mention très bien.

— Shore, vous dites ? S-H-O-R-E ?

— Non, Shaw. S-H-A-W.

— Bien, je vais voir.

Il y eut un long silence. Samantha et Lynne se regardèrent en souriant : les préparatifs avaient enfin commencé.

— Elle est allée voir, chuchota Samantha à l'intention de son amie.

Elle entendait l'employée s'affairer à l'autre bout du fil. Comme Marty allait être heureux d'avoir des nouvelles des gens de Medill ! Samantha imaginait déjà le visage radieux qu'il aurait alors !

— Madame, êtes-vous sûre de la promotion ?

— Oui, pourquoi ?

— Je ne trouve pas de Martin Shaw.

— Mais c'est impossible. Marty parle toujours de sa promotion 1966.

— Un instant. A-t-il eu une licence ou une maîtrise ?

— Une licence.

— Ah ! excusez-moi. Je regardais sur l'autre liste. Tout est mélangé ici. Patientez une minute, s'il vous plaît.

Samantha attendit en jetant un regard de connivence à Lynne et en jouant avec son stylo pour tromper l'attente.

— Madame ?

— Oui.

— Il ne figure pas non plus sur la liste des licenciés.

— Il y a de toute évidence une erreur, dit Samantha.

— J'ai pourtant regardé l'annuaire et la liste officielle de nos étudiants diplômés. Aucun Martin Shaw n'y figure. Ne confondez-vous pas avec une autre école de journalisme, Columbia par exemple ?

— Je sais tout de même bien où mon mari a fait ses études, répliqua Samantha avec une légère irritation, avant de se raviser en pensant qu'elle était en train de s'en prendre à une personne qui essayait de l'aider. Excusez-moi. Peut-être n'est-il pas sur la liste de sa promotion ?

— Mais j'ai vérifié sur l'annuaire des anciens étudiants, madame, répondit aimablement l'employée. Et je viens de regarder dans les archives comptables informatisées où j'aurais dû trouver trace des règlements de ses droits universitaires. Il n'y a pas de Martin Shaw. J'ai bien trouvé un David Shaw, mais je vois qu'il est britannique. Peut-être s'est-il inscrit sous une autre identité ? N'a-t-il pas changé de nom ?

— Non, il s'est toujours appelé Shaw.

— Alors, je ne vois pas ce que je peux faire, dit-elle en soupirant.

Samantha chercha ce qu'elle pourrait dire de plus pour sortir de l'impasse.

— Mon mari rédigeait la revue des étudiants. Son nom doit bien figurer quelque part.

— Je vais vérifier, dit l'employée d'une voix qui commençait à perdre son calme.

— Je sais que je vous dérange beaucoup, s'excusa Samantha.

— Non, non. Au fait, votre mari reçoit-il le courrier des anciens de Medill ?

— Je ne l'ai jamais vu, dit Samantha après quelques instants de réflexion. Mais il a souvent déménagé et…

— Tous nos anciens étudiants sont journalistes, madame, et déménagent souvent, mais nous arrivons toujours à garder leur trace.

La voix était devenue cassante, pleine d'un sous-entendu que Samantha ne saisit pas. Elle entendait tourner des pages, de nombreuses pages.

— Non, dit finalement l'employée. J'ai regardé dix numéros du journal de l'année 1966. Quelqu'un d'autre en était responsable.

— Ce n'est pas possible.

— Madame, puis-je vous parler franchement ? lui demanda son interlocutrice sur un ton qui s'impatientait.

— Bien sûr, répondit Samantha, surprise par la question.

— Cela arrive très souvent, madame.

— Que voulez-vous dire ?

— Il vaudrait peut-être mieux demander à votre mari, dit-elle avec une certaine commisération.

— Pourquoi donc ?

— Eh bien, madame Shaw, il est clair que votre mari n'a jamais étudié chez nous ; j'espère d'ailleurs qu'il ne se sert pas de nous comme référence dans son travail, car, si cela était le cas, nous nous verrions dans l'obligation de le faire savoir…

— Merci beaucoup, dit Samantha en raccrochant. C'est tout de même incroyable, lança-t-elle à Lynne. Le nom de Marty est introuvable. Un étudiant qui a obtenu sa licence avec la mention très bien. Comment imaginer qu'il puisse y avoir des gens aussi incompétents dans une école de journalisme ?

— Ce sont ces foutus ordinateurs, répondit Lynne. Son nom a probablement disparu de la disquette. Je suis sûre que cette femme n'a fait qu'appuyer sur des touches.

— Mais elle a vérifié sur des registres.

— Ça, c'est ce qu'elle t'a dit. On sait bien, Sam, que ces ordinateurs font sans cesse des erreurs. Ils s'étaient trompés complètement pour les notes de mon frère. Nous allons arranger cela.

— Tu as raison, dit Samantha en tentant de minimiser l'incident.

Mais au fond d'elle-même, elle était partagée entre la colère et le déni d'une telle situation. Elle ne pensa pas une seconde que Marty avait pu inventer son passé. Non, cela ne lui ressemblait pas, elle en était sûre. Elle avait déjà une idée : elle appellerait le président de l'université, et non un sous-fifre, et obtiendrait ainsi son renseignement.

Mais lorsqu'elle appela, on lui répondit que le président assistait à une réunion et qu'il lui faudrait rappeler.

— Veux-tu donner d'autres coups de fil ? demanda Lynne. J'ai le numéro de la mairie d'Elkhart.

— Non, je veux d'abord régler le problème de l'université avant d'appeler sa ville natale. Mettons au point une stratégie.

— D'accord.

Samantha alla chercher un numéro du *New York Magazine* dans un tiroir et montra à Lynne une publicité figurant en dernière page.

— Regarde. On peut faire faire une vidéo de la soirée d'anniversaire.

— C'est une très bonne idée !

— Tu crois que personne ne s'y opposera ?

— Si cela dérange certaines personnes, elles pourront toujours se détourner de la caméra. Nous, nous faisons des films, mais ce que tu proposes là est encore mieux, car il y a le son en plus.

— Je vais les appeler, dit Samantha en gribouillant les coordonnées. Si Marty savait ce que cela coûte, il me tuerait.

— Sam, répliqua Lynne, tu dois savoir qu'un homme ne dit jamais rien si l'argent est dépensé pour lui. C'est seulement dans le cas où les femmes se font plaisir qu'ils sortent leur fouet. C'est la règle, je t'assure. Mon frère, qui est avocat spécialisé dans les divorces, me l'a confirmé.

Samantha et Lynne continuèrent à bavarder et établirent le menu. Marty n'aimait que la viande et les pommes de terre. Le menu consisterait donc en viande et pommes de terre, le tout servi avec élégance et raffinement. Samantha rajouta quelques invités à une liste qui n'était déjà que trop longue, dans un souci évident de n'écarter aucun des nombreux amis que Marty s'était faits à New York. Elle voulait aussi un orchestre, malgré le coût exorbitant. Marty aimait la musique de Broadway et Samantha téléphona à un petit groupe de l'Institut Juilliard qui animait les soirées et dont le répertoire allait du classique à la musique pop.

— Pourquoi ne rappelles-tu pas le président de l'université ? demanda Lynne une heure plus tard.

Samantha saisit le téléphone puis s'arrêta net. Elle voulait donner ce coup de fil, bien sûr ; elle voulait s'occuper de ce problème avec l'institut de journalisme. Mais le regard de Lynne, qui trahissait son excitation, la mit mal à l'aise. Sa meilleure amie faisait probablement preuve de trop de curiosité. Lynne pensait-elle que Marty n'était jamais allé à Medill ? Non, elle n'était pas comme cela ; elle était beaucoup trop loyale. Mais bizarrement, Samantha n'avait pas envie que son amie soit là pendant ce coup de téléphone. Certes, c'était une confusion, une erreur, mais c'était embarrassant et gênant, même devant une intime. Que se passerait-il si le président ne parvenait pas à trouver le nom de Marty lui non plus ? Que penserait Lynne ? Qu'en dirait-elle à son mari ?

— Je n'ai pas envie d'appeler tout de suite, finit-elle par dire sèchement. Je ferai cela plus tard.

Elle avait besoin de prendre des forces avant ce second coup de fil. Une seule personne pouvait la réconforter : Marty. Plus que jamais, elle avait confiance en lui.

2

Le seul souci de Marty était de ne pas être vu par quelqu'un de sa connaissance. Pourquoi Martin Everett Shaw sortait-il du métro dans le Queens un jour de semaine vers midi ? Certes, Marty ne manquerait pas de trouver rapidement une explication. Il n'était jamais pris de court. Mais cette fois, il ne voulait absolument pas être remarqué.

Il emprunta une rue bondée de Forest Hills, le visage fouetté par un vent glacial. Il avait horreur de ce temps. Dans son esprit se bousculaient des souvenirs flous qui faisaient monter en lui une colère bouillonnante. Il aperçut une lumière rouge au moment précis où il descendait du trottoir et recula immédiatement. Il essaya de chasser ces pensées, tout en sachant que c'était impossible, que le film de cet épisode devrait se dérouler une fois de plus dans son esprit. Toutes les fois que cette colère se soulevait en lui, il ressentait une culpabilité énorme. Puis le besoin d'agir grandissait au point de le posséder.

Il vit le magasin Granville, l'un des plus grands du boulevard. Il n'avait pas téléphoné avant de venir pour éviter d'attirer l'attention et que l'on se souvienne de son coup de fil. Marty ne savait pas s'il trouverait ce qu'il cherchait chez Granville mais se dit que, dans un magasin de cette taille, il avait de bonnes chances d'obtenir satisfaction. C'était urgent. Il avait besoin de ces objets. D'un geste automatique, il arrangea sa cravate de soie à rayures et se passa la main dans les cheveux. Aie l'air correct. Normal. Confiant. Ne montre pas ton inquiétude. Tu vas acheter des objets que des gens achètent tous les jours. Paie comptant. Pas de carte de crédit. Pas de nom sur un reçu.

Granville était l'un de ces magasins où les clients se faufilent entre les rayons, dans des allées étroites et sombres, et doivent se frayer un chemin entre les prises de courant, les sacs de clous et les panneaux indiquant la sortie. Marty arpenta lentement une travée, remarquant qu'il était l'un des rares clients mais qu'il y en avait tout de même suffisamment pour ne pas se faire remarquer. Il prit un air un peu perdu et appela un vendeur moustachu qui arriva d'un pas nonchalant.

— Vous cherchez quelque chose ?

— Euh, oui, dit Marty. J'ai besoin de l'une de ces douilles à visser pour y fixer une ampoule.

— Nous avons des milliers de douilles ici. Vous en voulez une avec une tirette ?

— Oui, exactement.

— Voyez par là.

Le vendeur était légèrement bossu et dégageait une forte odeur de tabac bon marché. Marty le suivit dans le rayon électricité. Le vendeur sortit une douille.

— Voilà. Vous désirez autre chose ?

— Un instant, répondit Marty.

— Prenez votre temps.

La douille était une ruse. Marty achetait toujours quelques articles supplémentaires pour noyer ceux qu'il voulait vraiment.

— J'ai besoin d'un petit marteau Roberts, dit-il enfin en craignant de ne pouvoir dissimuler son anxiété.

— Un quoi ? demanda le vendeur avec un mépris qu'il réservait aux clients qui ne connaissaient rien à la quincaillerie.

— Un Roberts. Un petit marteau.

Le vendeur marmonna quelque chose en hochant la tête.

— C'est la première fois que l'on me demande une marque précise de marteau. Un marteau est un marteau. J'ai des Stanley, des Skil, des… Lequel voulez-vous ? Roberts ? Je n'en ai jamais vu…

— Mais cela existe, n'est-ce pas ?

Les grands yeux verts de Marty le fixaient avec une intensité incontrôlable.

— Oui, oui, bien sûr.

— Où puis-je en trouver ?

— Il vous faut celui-ci précisément ? Vous savez, le Stanley est mieux. Il est plus solide…

— Je veux un Roberts.

Le vendeur baissa les bras.

— Je voulais vous aider. Allez chez Becker, deux rues plus bas : ils font des outils Roberts. Vous désirez autre chose ?

— Une chaîne de vélo.

— Oui, j'ai cela.

— J'en veux une avec des maillons recouverts de plastique rouge.

— Vous ne la voulez pas avec des fleurs, par hasard ? demanda le vendeur avec mépris.

Marty ne répondit même pas.

— Elle doit être rouge ? insista-t-il.

— Oui, dit Marty après un instant de réflexion. Rouge, dit-il d'une voix qui avait retrouvé son autorité habituelle.

— J'en ai une.

Le vendeur entraîna Marty dans un autre rayon et lui tendit une chaîne de vélo rouge. Marty la saisit et passa ses doigts sur les maillons comme s'il la caressait. La chaîne était lourde ; c'était d'ailleurs nécessaire. Il l'enroula autour de sa main droite comme un serpent puis la laissa pendre. Mais il se rendit compte rapidement que son comportement bizarre attirait l'attention.

— Je la prends, dit-il. C'est tout.

Il quitta le magasin, muni d'un sac qui contenait la douille et la chaîne, et se dirigea vers le magasin Becker. Tout en marchant, il rangea le sac dans sa sacoche en cuir.

— C'est pour toi, murmura-t-il en bougeant à peine les lèvres, comme s'il s'adressait à une personne toute proche de lui.

Rien n'était visible de l'extérieur. Marty Shaw n'était qu'un homme d'affaires qui marchait dans la rue. Même Samantha n'avait aucune idée du trouble intérieur qui agitait celui qu'elle considérait comme l'homme idéal.

Il jeta un coup d'œil à sa Rolex de plongée. Il était 13 h 46 et il avait un rendez-vous à son bureau à 15 heures. Il était important de ne pas être en retard pour ne pas s'attirer de questions. Il hâta donc le pas et repéra rapidement Becker, un magasin un peu plus grand que Granville. Marty entra, gêné d'être allé dans un magasin concurrent et inquiet qu'on lui demande de montrer le contenu de sa sacoche. Un panneau apposé près de la caisse annonçait en effet : *Nous nous réservons le droit d'examiner tous les sacs*. Hiram Becker, un grand homme d'un certain âge, s'avança vers lui.

— Puis-je vous aider ?

— Oui, dit Marty. Je cherche un marteau de la marque Roberts.

— Je fais effectivement cette marque.

— Ce marteau a un petit manche et la tête est peinte en blanc.

— Vous voulez ce modèle précisément ?

— Oui, c'est un cadeau pour mon fils. Cela va avec ses autres outils.

— Je vais voir. Je suis dépositaire de la marque.

Marty sentit la tension monter en lui. Quelle perte de temps si Becker n'avait pas ce marteau !

Le commerçant disparut dans son arrière-boutique puis revint avec un marteau emballé sous plastique.

— Le voici, dit-il. C'est le dernier.

Soulagé, Marty paya rapidement les trois dollars quatre-vingt-dix-huit et quitta le magasin. Personne ne lui demanda d'ouvrir sa sacoche.

Il descendit Queens Boulevard en direction du métro qui le ramènerait à Manhattan. Il savait qu'il y aurait d'autres préparatifs avant le 5 décembre, mais qu'il avait encore le temps. Pour les trains, pas de problème. Il pourrait les trouver en ville. Samantha ne poserait pas de questions sur les nouveaux objets qui allaient faire leur apparition dans l'appartement : elle était toujours tellement compréhensive. Elle était tellement parfaite.

Marty monta dans la rame de métro et s'assit à côté d'une vieille femme alcoolique. Il serra la poignée de sa sacoche au point que ses doigts devinrent tout blancs, puis la posa à terre entre ses pieds. Lorsque le métro approcha de la station Rockefeller Center, les yeux de Marty avaient cet air inquiet que Samantha avait souvent remarqué. Il avait peur que quelqu'un ne s'intéresse à cette élégante sacoche. Son contenu avait trop de valeur.

Une fois arrivé à destination, sur la Cinquième Avenue, il commença ses achats de Noël.

La société Shaw avait quatre bureaux au douzième étage du 1290, avenue des Amériques, un immeuble moderne de pierre et de métal dont le seul signe particulier était d'abriter un bon magasin de disques au rez-de-chaussée. Les bureaux de Marty étaient à l'opposé du style carré et fonctionnel de son appartement. Ici, tout était de ligne souple, plus un musée qu'un bureau. Les fenêtres étaient ornées de rideaux épais et l'encadrement des gravures qui décoraient les murs était passé à la feuille d'or. Tous ces choix avaient leurs raisons, avait-il dit à Samantha, sans jamais les lui expliquer.

Avant même de le voir, le personnel avait reconnu le pas imposant de Marty. Il poussa la grande porte en chêne en souriant. Sois décidé, se disait-il toujours. Seuls les gens décidés réussissent.

— Bonjour, tout le monde. Des appels pour moi ?

Lois Carroll, sa secrétaire de vingt ans, tendit immédiatement à Marty quatre feuilles roses auxquelles il jeta un rapide coup d'œil.

— Que voulait CBS ?

— Warner Wolf veut interviewer la fille qui s'occupe de la nouvelle équipe de football, dit Lois. Comme nous représentons l'équipe…

— Pas de ça, la coupa Marty. Je vais appeler Warner pour lui proposer autre chose.

Puis il passa à un autre message.

— *Newsweek* ?

— Oui, ils refusent l'histoire du procédé d'adoucissement de l'eau Rohr-Tech.

— Qu'ils aillent au diable ! L'hebdomadaire le plus cité dans le monde ne connaît rien à l'eau pure. Bien. Je suppose que ce message de *Princess Fashions* concerne notre facture.

— Effectivement.

Marty n'y fit guère attention et regarda la dernière feuille.

— Que voulait Samantha ?

— Que vous la rappeliez. Elle était un peu…

— Un peu quoi ?

— Tendue.

— Malade ?

— Non, non. Juste un peu…

— Appelez chez moi, s'il vous plaît.

Marty se précipita dans son bureau dont les murs étaient recouverts des articles qu'il avait publiés dans divers journaux et revues. Lois lui passa immédiatement son appel, consciente de son inquiétude. Marty protégeait Samantha, se faisait du souci pour elle dans cette grande ville. Il ne cessait de demander l'avis de Lois pour les cadeaux qu'il lui destinait et les endroits où il pourrait se les procurer. Il faisait preuve d'un dévouement que sa secrétaire trouvait inhabituel pour un homme travaillant dans le monde fou des médias : elle rêvait de trouver un mari comme Marty Shaw.

— Samantha en ligne, annonça-t-elle.

— Sam ?

— Chéri ? J'ai appelé tout à l'heure, mais tu étais sorti.

— Qu'est-ce qui ne va pas ?

— Oh, rien. Rien du tout.

— Quelque chose a l'air de te tracasser.

Elle n'arrivait pas à dissimuler son inquiétude à propos de l'université.

— Non, non. Tout va bien, Marty.

— Tu es sûre ? Tu n'as pourtant pas l'habitude de m'appeler à midi.

— Allons. On dirait ma mère. Je suis simplement fatiguée. Je t'ai appelé parce que j'ai commencé à prendre des dispositions pour le grand jour. J'ai trouvé un type qui fait des vidéos de ce genre d'événement. C'est formidable, non ? Y vois-tu un inconvénient ?

— Pourquoi donc ? Cela coûte combien ?

— Top secret, monsieur Shaw.

— D'accord.

— Il faut que je prenne des dispositions très tôt. Sinon, je ne te dérangerais pas en plein travail.

— Mais tu ne me déranges jamais, voyons, Sam.

— C'est si agréable à entendre. Dites-moi, Martin Everett Shaw. J'ai une autre idée : je voudrais faire encadrer ton diplôme et l'exposer pour la soirée. Tu ne l'as jamais fait et…

— Sam, tu sais que je n'attache pas beaucoup d'importance à ce genre de choses.

— Oui, je sais, mais je suis tellement fière de toi, Marty. Je veux le crier au monde entier.

— Puis-je utiliser mon droit de veto ? poursuivit Marty avec un rire embarrassé.

— Certes, répondit Samantha après un court instant d'hésitation. En tant que président-directeur général de la société Shaw, je suppose que vous en avez le droit. Mais, Marty, tu devrais au moins protéger ton diplôme. Il ne faut pas mépriser ces choses-là. Je vais m'en charger : dis-moi simplement où il se trouve.

— Mais je ne me souviens même pas de l'endroit où je l'ai rangé ! avoua Marty après un long silence angoissant pour Samantha.

Un frisson lui agita le corps : ce n'était pas la réponse qu'elle souhaitait. Elle n'avait jamais douté de Marty et n'était pas prête à se laisser gagner par le doute, qu'il soit émotionnel ou rationnel.

— Réfléchis, petit génie, lui demanda-t-elle en tentant de dissimuler son angoisse.

— Mon Dieu…

— Fais un effort.

Samantha le suppliait de lui prouver qu'il n'avait pas inventé ses diplômes comme tant d'autres.

— Ah oui, dit enfin Marty avec un claquement de doigts, j'ai déménagé si souvent que je ne sais même plus où se trouvent certains papiers. Tu vois la pile de documents dans le tiroir de mon bureau ?

— Ne me dis pas que c'est là qu'il se trouve, protesta Samantha, effarée.

— Je plaide coupable et présente toutes mes excuses à l'institut Medill de journalisme et au soporifique président Lawrence Krieger.

Marty eut un large sourire qui dévoila sa denture irrégulière.

— Je vais sauver ce diplôme, soupira Samantha. Bien, je vois que tu es occupé. Je te laisse.

— Je rentrerai vers 19 heures.

— Au revoir, chéri.

Ils raccrochèrent. Marty était un peu déconcerté. Pourquoi Samantha l'avait-elle appelé au sujet de cette vidéo, au lieu d'attendre le soir pour lui en parler ? Croyait-elle vraiment que ces gens risquaient de ne pas être libres un jeudi soir de décembre ? Et pourquoi s'intéressait-elle à ce bout de papier ? Elle n'était en général pas le genre à paniquer. Peut-être était-ce la difficulté d'organiser une grande soirée pour la première fois.

Marty n'y pensa plus.

Samantha se précipita dans le bureau de Marty et fouilla dans ses papiers. Elle trouva rapidement la chemise bleue portant le sceau de l'université. Elle l'ouvrit à la hâte, mais avec respect, et en sortit un parchemin raidi enveloppé dans un papier. Tout d'un coup, elle fut soulagée. L'employée de l'institut s'était bel et bien trompée : elle en avait là la preuve irréfutable.

Samantha regarda longuement le diplôme et eut ainsi l'impression de faire irruption dans le passé de Marty.

MARTIN EVERETT SHAW
Licence ès Lettres
Mention Très Bien
16 juin 1966

Elle replaça le diplôme dans la chemise et la rangea dans le coffre ignifugé. Elle avait maintenant honte d'avoir demandé ce document à son mari et se promit de ne plus jamais douter de lui. Plus jamais.

Elle s'assit pour poursuivre ses préparatifs puis posa sa main droite sur son ventre. Samantha essayait de modérer son espoir de voir le 5 décembre lui apporter la confirmation d'un heureux événement plus important encore que la soirée. Elle savait combien Marty désirait cela, et avait quelques raisons d'y croire ; elle décida donc de prendre rendez-vous avec son médecin. Pour l'instant, elle ne pouvait qu'espérer et prier.

Martin Everett Shaw composa lentement la combinaison du coffre qui était encastré dans le mur de son bureau. Il forma le 18 sur le cadran et la porte blindée s'ouvrit. Le coffre ne contenait rien d'autre qu'une enveloppe marron. Marty rangea soigneusement le marteau et la chaîne de bicyclette dans le fond en repensant au geste similaire qu'il avait accompli l'année précédente ; il se souvint également qu'il avait placé les deux objets dans le fond d'une sacoche d'appareil photographique deux ans plus tôt.

Il contempla l'enveloppe marron, les yeux et le corps immobiles, comme si elle contenait un objet sacré. Puis il la sortit du coffre et la posa au milieu du fouillis qui encombrait son bureau. Après quoi il alla fermer sa porte et tira les rideaux : il était seul, face à lui-même, loin d'un monde sur lequel il jetait un regard différent de celui des autres. Il s'assit à sa table et ouvrit l'enveloppe : elle contenait des coupures de journaux attachées avec un élastique, dont certaines étaient déjà jaunies et d'autres plus récentes. Elles provenaient de tous les coins du pays.

Marty demanda à ne pas être dérangé à l'interphone puis prit l'une des coupures du dessus. Il l'avait déjà lue bien des fois mais en appréciait tout particulièrement le ton et le style. Il relut donc le récit en en savourant chaque mot.

La police du Connecticut a fait une découverte déconcertante aujourd'hui : c'est tout près de la nationale I-95 en effet, dans l'herbe, qu'un...

3

Samantha reporta une fois de plus le coup de fil à l'institut de journalisme. Avec le diplôme de Marty, elle n'avait plus besoin de « preuve » et, bien que toujours offusquée par l'accueil qui lui avait été réservé lors de son premier appel, elle réagit très humainement en se plongeant dans d'autres activités. Elle réserva donc l'enregistrement de la soirée sur vidéo puis alla chercher un nouveau grille-pain chez Gartner, dans la 72e Rue, et se rendit enfin à la poste, où elle acheta cent timbres. Cette soirée, qui était déjà énorme dans son projet initial, devenait gigantesque.

En pensant à son programme du lendemain, elle était à la fois impatiente et inquiète. Au matin, elle sauta dans un taxi dès que Marty fut parti au bureau. Elle ne lui avait pas parlé de son rendez-vous pour ne pas anticiper sur la nouvelle. Pourquoi lui donner un espoir qui se révélerait peut-être non fondé ? Son cœur se mit à battre la chamade lorsqu'elle arriva dans Central Park, puis passa devant les magasins Alexander et Bloomingdale's. Elle aperçut les grands bâtiments blancs qui allaient jouer un si grand rôle dans sa vie et celle de Marty.

Le Centre hospitalier universitaire, situé aux environs de la 30e Rue sur la Première Avenue, est le bâtiment le plus élégant de l'université de New York. Le taxi s'arrêta dans l'allée circulaire ; Samantha paya la course et se dirigea vers l'une des tours blanches qu'elle avait aperçues de loin.

— Le Dr Fromer ? demanda-t-elle à un employé en uniforme.

— 516, répondit-il.

Samantha prit l'ascenseur. Son cœur battait toujours à une allure folle et elle avait la gorge et l'estomac noués. Elle se présenta à l'infirmière et attendit plus de quarante-cinq minutes avant d'être examinée.

Harold Fromer approchait de la cinquantaine : il avait une silhouette lourde et fatiguée, le menton rentré et un crâne dégarni. Mais il était calme et attentif et jouissait d'une excellente réputation. Il parlait avec naturel, en veillant à ne pas paraître trop condescendant à l'égard de ses patientes, en général très jeunes.

Une fois l'examen et les tests terminés, il fit entrer Samantha dans son petit bureau d'aspect classique, qu'elle considéra plus comme un refuge pour trésorier de société que comme le lieu où devaient s'échanger des secrets médicaux.

— Qu'attendez-vous que je vous dise ? dit Fromer en se laissant aller dans son siège.

Il prononça ces mots avec un sourire : il connaissait Samantha depuis douze ans.

— Dites-moi si nous pouvons commencer à chercher une université, répliqua-t-elle.

— Allez-y.

— C'est sûr ?

— L'assistant du laboratoire a joué à pile ou face pour avoir la réponse. C'est tout ce que nous pouvons faire.

Samantha resta extraordinairement calme : elle n'eut ni larmes ni cris de joie mais se sentit envahie par une sorte de sérénité liée sans aucun doute au fait que le diagnostic de Fromer n'était pas une surprise pour elle. Peut-être était-elle aussi calme parce qu'elle savait que cela la rapprocherait encore plus de Marty et que, à cause de son enfance malheureuse, il se réjouirait plus que quiconque de cette nouvelle.

— Alors, dit-elle en montrant enfin son bonheur, que dois-je faire ?

— Célébrer l'événement, lui répondit le médecin. N'êtes-vous pas heureuse ?

— Bien sûr que je le suis.

— Votre mari désire-t-il ce bébé lui aussi ?

— Mais bien sûr. Il a participé de tout son cœur à sa conception.

Fromer eut un petit rire gêné, comme toujours : il trouvait en effet que rire n'était pas viril.

— Vous devez avoir une grossesse normale, dit-il avant d'expliquer à Samantha ce qu'elle devait faire et les changements qui allaient se produire en elle.

— Je suppose que je suis enceinte de deux mois, fit-elle.

— Exactement. Après l'échographie, je pourrai vous donner une date précise. Souhaitez-vous connaître le sexe de votre bébé ?

— Non.

— Ah bon ?

Fromer eut l'air surpris : Samantha, dans sa détermination, se distinguait de la majeure partie des femmes.

— Vous n'auriez qu'un seul prénom à trouver. Vous pourriez vous faire à l'idée…

— Mon mari et moi, nous sommes un peu vieux jeu. Nous voulons que cela se passe comme dans le temps.

— Je vois… dit le médecin en tapotant son crayon sur son bureau d'un air soucieux. Me cachez-vous quelque chose ? demanda-t-il enfin.

— Que voulez-vous dire ? rétorqua Samantha en se contractant légèrement.

— Je vous ai trouvée plus tendue que d'habitude pendant l'examen. J'ai eu l'impression que vous étiez mal à l'aise lorsque vous avez parlé de votre mari. Il faut au contraire que vous vous décontractiez pendant cette période. Si vous avez un problème…

— Un problème ?

— Je veux dire dans votre couple.

— Non, pas du tout.

Samantha était choquée tout en sachant que Fromer était de bonne volonté.

— Bien. Si vous aviez une difficulté quelconque, n'hésitez pas à prendre conseil auprès d'un spécialiste. Certaines personnes qui ont des problèmes de couple décident d'avoir un bébé en pensant que cela arrangera les choses. C'est un tort. C'est mon avis de médecin.

— J'organise une grande fête pour Marty, dit Samantha. Je crois que ce sont ces préparatifs qui me rendent nerveuse.

— Je vois. Il faut rester calme, surtout pendant les trois premiers mois, qui sont délicats.

Fromer se leva de derrière son bureau et embrassa Samantha sur la joue, geste qu'il considérait comme une prérogative de gynécologue.

— Félicitations, lui dit-il. Tout se passera bien.

— Merci. Quand dois-je revenir ?

— Dans un mois. Et tous les mois à partir de ce moment.

Samantha se leva puis hésita en tripotant son sac en cuir.

— Euh, nous n'avons pas parlé de…

— Du prix ?

— Oui.

Samantha était vraiment vieux jeu : elle répugnait à parler argent avec son médecin.

— Tout est dans la brochure, dit Fromer. Une question seulement : êtes-vous assurée ?

— Oui, à la Croix-Bleue, pour les frais médicaux généraux.

— Parfait. Allez annoncer la nouvelle à votre mari.

Ils bavardèrent encore un instant de tout et de rien puis Fromer raccompagna sa patiente jusqu'au couloir bruyant.

En se dirigeant vers l'ascenseur, Samantha sentit que son calme s'évanouissait pour laisser la place à un bonheur sans limites. Elle se mit à sourire, sans même remarquer les regards curieux que les médecins et les patients lui adressaient. Elle posa instinctivement sa main sur son ventre lorsque d'autres personnes vinrent s'entasser dans l'ascenseur.

— Vous êtes enceinte ? lui demanda un médecin.

Elle se sentit terriblement embarrassée et perturbée.

— Non, non, dit-elle.

C'était la première fois qu'elle niait l'évidence. Elle quitta l'hôpital et monta dans un taxi. Ses premiers mots furent alors :

— Conduisez lentement. Je suis enceinte.

Le chauffeur lui adressa un sourire poli et suivit ses instructions.

Lynne l'attendait devant leur immeuble de Central Park West. Son instinct lui donna tous les renseignements qu'elle voulait.

— C'est bon, dit Samantha en descendant du taxi sous un léger crachin.

— J'en étais sûre. Je le vois au teint que prend ta peau à ce moment.

— Allons !

— Mais oui, les médecins ont leurs méthodes, moi, j'ai les miennes.

Lynne se mit à rire et saisit le bras de Samantha pour entrer dans l'immeuble. Le portier leur ouvrit sans prêter attention à leur joie.

L'entrée de marbre illuminée par l'énorme lustre de cristal résonna du bruit de leurs talons.

— Il faut préparer un bon dîner, lui dit Lynne en appuyant sur le bouton de l'ascenseur.

— Pourquoi ?

— Pourquoi ? Tu demandes pourquoi ? Mais lorsqu'on est enceinte, on prépare un bon dîner pour annoncer la nouvelle à son mari. Tu n'as jamais vu de films ? C'est comme ça.

— Je ne vais pas l'annoncer à Marty.

— Quoi ? Tu plaisantes !

— Non, j'y ai réfléchi dans le taxi, dit Samantha. Je vais le lui annoncer le soir de la fête devant tout le monde.

— Il va s'évanouir !

— Non, mais il pleurera peut-être un peu.

Lynne apprécia cette idée.

— Avec la vidéo, ce sera un souvenir extraordinaire. Oui, c'est une idée géniale. Annonce-le-lui pendant la soirée. Moi, je l'ai dit à Charlie chez ma mère, après une dispute.

— Je voudrais déjà voir la tête de Marty, dit Samantha plus pour elle-même que pour Lynne. Juste sa tête.

Elles montèrent chez Samantha : l'appartement était glacial car elle avait oublié de brancher le chauffage avant de partir. Elle tourna immédiatement le bouton du thermostat et garda son manteau.

— Veux-tu t'allonger ? lui proposa Lynne. Encore une autre tradition.

— Je veux me mettre au travail, répondit Samantha.

— La mère héroïque. Je t'imagine tout à fait avoir ce bébé sans te faire aider. C'est ton genre, hein ? Eh bien, je t'ai trouvé d'autres numéros de téléphone. As-tu rappelé l'université ?

— Non, je le ferai plus tard, dit Samantha non sans remarquer cette curiosité qu'elle avait déjà lue dans les yeux de son amie.

— D'accord, dit Lynne en cherchant son carnet dans son sac. Voici le numéro de l'école primaire George Braden d'Elkhart, dans l'Indiana, la première école qu'a fréquentée Marty.

Samantha fut ravie de se replonger dans cette atmosphère de préparatifs. Elle s'assit devant sa petite table et nota ce qu'elle voulait demander aux gens de l'école Braden. Elle savait qu'il lui faudrait être prudente : les universités, en effet, n'arrivaient déjà pas à retrouver la trace de leurs anciens étudiants, à plus forte raison les écoles primaires. Elle composa le numéro.

— Braden, dit une femme avec un accent du Midwest.

— Oui, bonjour, répondit Samantha avec un brin d'anxiété. Je vous appelle de New York.

— De New York ?

— Oui, au sujet de mon mari qui a fait ses études à Braden.

— Ah, je suppose que c'était il y a quelques années.

— Oui, à la fin des années 1940 et au début des années 1950.

— Vous désirez un certificat de scolarité, madame ?

— Non, dit Samantha. J'ai une requête plutôt inhabituelle à vous faire. J'organise une soirée pour son quarantième anniversaire…

— Bonne idée.

— … et je voudrais réunir les souvenirs de ses anciens maîtres et camarades. Comment puis-je obtenir le nom de ses professeurs et du directeur ?

— Eh bien, certains enseignants sont peut-être…

— Décédés.

— Oui, mais le directeur est toujours là.

— Vraiment ?

— Lorsque M. Cotrell est arrivé ici, il avait une vingtaine d'années ; il est toujours chez nous.

— Et les enseignants ?

— Vous trouverez les archives au dépôt régional. Nous ne gardons que celles des cinq dernières années.

— Est-ce que tout le monde peut les consulter ? Je veux dire que je suis prête à payer, dit Samantha en souriant, heureuse une fois de plus de se rapprocher du passé de Marty.

— Je vais me renseigner, madame. Cela coûte dix dollars. Voulez-vous parler à M. Cotrell en attendant ? Il est dans son bureau.

Samantha eut un instant d'hésitation : les directeurs l'avaient toujours intimidée. Qui s'adressait à ce genre de personne sans y être obligé ? Mais dans ce cas, c'était spécial et elle surmonta ses craintes de petite fille.

— Oui, acquiesça-t-elle. J'en serais très heureuse.

— Quel est votre nom ?

— Samantha Shaw. Mon mari s'appelle Martin Everett Shaw.

— Un instant, s'il vous plaît.

Samantha entendit quelques déclics.

— Elle me passe le directeur, dit-elle à Lynne en mettant sa main devant le combiné. Il était déjà là du temps de Marty.

— Madame Shaw ? Ici Lou Cotrell, annonça une voix gaie et chantante. Je me souviens très bien de votre mari.

— Ah bon ? demanda Samantha avec empressement.

— Oui. Shaw était un gamin terrible. Un vrai diable.

— C'est bien Marty.

— Un petit garçon menu.

— Il est plutôt costaud maintenant.

— Vous le nourrissez trop bien alors !

— Probablement.

— Je suis surpris d'apprendre que Martin est à New York. C'était le genre à avoir besoin de grand air. Je regrette qu'il ne soit jamais venu nous revoir. J'aimerais bien qu'il passe.

— Je le lui dirai. Il viendra, monsieur Cotrell ; nous viendrons tous les deux.

— Bien. Ma secrétaire me dit que vous cherchez des souvenirs.

— Oui.

— Je vais fouiner. Mais dites-moi : avez-vous un lecteur de cassettes ?

— Oui.

— Je vous en ferai donc une.

— Formidable !

— Donnez-moi simplement votre adresse. Et dites à Martin que sa cour d'école est toujours à la même place !

— Merci beaucoup, monsieur Cotrell.

— Appelez-moi Lou. Nous sommes tous des adultes maintenant.

— Merci, Lou.

— Merci à vous d'avoir pensé à nous, madame Shaw.

Ils se mirent à rire tous les deux. Samantha lui donna son adresse et son numéro de téléphone et lui précisa que, puisque c'était une surprise, il devrait veiller à envoyer la cassette un lundi pour qu'elle arrive en milieu de semaine, pendant que Marty était à son bureau. Il fallait penser à tout, se dit-elle. Elle se sentit alors comme obligée d'ajouter quelque chose.

— Monsieur Cotrell, avez-vous le souvenir des parents de Marty ?

— Je me souviens d'eux comme de gens charmants.

— Oui, ils sont malheureusement morts très jeunes, alors que Marty n'était qu'un adolescent.

— C'est affreux, dit Cotrell.

— Oui, cela a été très dur pour Marty, mais il a tout de même réussi à entrer à l'université.

— Cela ne m'étonne pas de lui.

— Bien. Merci encore, Lou. C'est formidable, dit Samantha à son amie en raccrochant.

— Absolument, dit Lynne. Et maintenant, prépare ton repas.

— Il faut que je fasse vérifier notre magnétophone. Les bandes se sont emmêlées la semaine dernière. Je ne veux pas de catastrophe le 5 décembre à cause de l'idée originale de M. Cotrell.

— Je connais un bon réparateur, la rassura Lynne avant de jeter un coup d'œil à sa montre Mickey Mouse qu'elle avait rapportée de Disneyland. Eh, il faut que je me sauve ! Je suis invitée à une soirée qui va être mortellement ennuyeuse mais que je ne peux pas manquer.

C'était tout à fait dans les habitudes de Lynne : elle partait en trente secondes, sans même dire au revoir. Samantha se retrouva seule, heureuse d'elle-même, de Marty, de la vie. Elle avait eu une journée extraordinaire.

Elle sortit alors la brochure du Dr Fromer et commença à la lire. On y expliquait clairement les divers moyens que Fromer utilisait pour surveiller la grossesse, précisant que la mère sentait les mouvements du bébé à partir du cinquième mois, et mettant en garde contre les dangers du tabac et de l'alcool. Mais il y avait un paragraphe particulièrement virulent sur les risques d'un accouchement en dehors du milieu hospitalier : Fromer était intransigeant sur cette question et énonçait tous les équipements d'urgence pouvant manquer à une future mère qui accoucherait chez elle. Samantha se dit qu'elle irait à l'hôpital.

Elle était occupée à lire la description de la nursery de la maternité, avec une grande baie vitrée permettant à la famille de contempler les petits princes et princesses, lorsque le téléphone sonna. Samantha décrocha, sûre que c'était Marty.

Mais ce n'était pas lui.

— Madame Shaw ?

Elle reconnut immédiatement la voix.

— Monsieur Cotrell. Lou. C'est très gentil de me rappeler si vite. Avez-vous trouvé quelque chose à propos de mon mari ?

— C'est justement à ce sujet que je vous appelle.

— Un instant. Je vais chercher un papier et un crayon.

— Ce n'est pas nécessaire, madame Shaw. Je crains… Euh… C'est extrêmement gênant…

— Gênant ?

— Oui. Eh bien, vous savez, il est très facile de se tromper lorsque l'on a vu autant d'enfants.

— Bien sûr.

— Et ma mémoire… Disons que je suis plutôt distrait. Lorsque vous m'avez appelé, j'ai pensé à un enfant et je croyais qu'il s'appelait Martin Shaw. Mais son prénom n'est pas Martin. C'est Melvin. Mel Shaw.

— Vous ne vous souvenez pas de mon mari ?

— Vous m'avez dit que ses parents étaient décédés. Paix à leur âme. La mère de ce garçon est toujours vivante. C'est ce qui a fait tilt dans ma mémoire.

Samantha sentit à quel point Cotrell était embarrassé et tenta de le mettre à l'aise.

— Ce n'est rien, Lou. Comment pourriez-vous vous souvenir de tous vos anciens élèves ? Je suis très contente que vous m'ayez appelée. Nous pourrons toujours consulter les archives de l'école. Peut-être même pourrons-nous avoir les souvenirs de quelques enseignants…

— C'est bien là le plus grave, madame Shaw.

— Pardon ?

— Il n'y a aucune trace d'un Martin Shaw dans les archives.

— Quoi ?

— J'ai été surpris aussi. Il est vrai que, de temps en temps, nous égarons le dossier d'un élève pour une année. Mais tous ceux de votre mari restent introuvables.

En un éclair, Samantha repensa au coup de téléphone à l'université mais repoussa cette pensée. Partout, tout n'était qu'erreurs. Elle venait de faire deux expériences consécutives malheureuses.

— Martin a fait ses études à Braden, dit-elle avec une assurance presque excessive dans la voix. Il en parle souvent.

— Je comprends.

— Alors, que pouvons-nous faire ?

— Je ne sais vraiment pas, madame Shaw. Sans les dossiers, nous ne pouvons rien. Peut-être ont-ils été réclamés et envoyés quelque part.

— C'est sûrement cela, dit Samantha en se raccrochant à cette dernière hypothèse.

— Mais cela n'explique pas le mystère des photos.

— Les photos ?

— Oui, les photos de classe qui sont prises chaque année. Je les ai fait vérifier. Pas de Martin.

— Il était peut-être absent, rétorqua-t-elle.

— Six années d'affilée ?

Il y eut un long silence, comme pendant le coup de téléphone avec l'université. Elle le rompit brutalement.

— Lou, qu'est-ce que cela veut dire ?

Cotrell eut un petit rire gêné.

— Eh bien, il semble que nous ayons là un petit problème.

— Expliquez-moi, s'il vous plaît.

— Vous y tenez ?

Un frisson lui parcourut le dos.

— Je... Je vous en serais reconnaissante.

— Eh bien, voilà : quelquefois, voyez-vous, un enfant est issu d'une famille très modeste dont il est gêné en grandissant. Alors... il a tendance à embellir ses origines.

— Je vois, dit calmement Samantha.

— Ce n'est pas dramatique, madame Shaw. Il y a autour d'Elkhart... des endroits... très modestes. Peut-être Martin a-t-il pensé qu'Elkhart présentait mieux.

— Je ne peux pas le croire, murmura-t-elle.

— Si je puis vous être d'une quelconque utilité, n'hésitez pas à m'appeler, poursuivit Cotrell. Au revoir, madame Shaw.

Samantha raccrocha, abasourdie. Elle était soulagée que Lynne fût partie avant ce coup de téléphone. Non, se dit-elle. Ce n'était pas possible. Marty ne pouvait pas dissimuler son passé ; il parlait trop souvent de Braden, avec force détails. Les gens qui ont quelque chose à cacher dans un domaine ou un autre évitent ces sujets ; elle-même, dont le grand-père avait un problème d'alcoolisme, préférait ne pas parler de cela. Et puis, l'histoire de l'université s'était résolue lorsqu'elle avait retrouvé le diplôme de Marty. Non, c'était une fois de plus une question d'archives mal classées : c'était d'ailleurs compréhensible. L'école avait égaré les dossiers et les photos, et Cotrell tentait de protéger les responsables. En quelques minutes, le malaise de Samantha s'était dissipé et elle avait la conviction que cet intermède se terminerait bien, comme le précédent.

Mais elle se dit que les préparatifs avaient perdu beaucoup de leur charme. Elle attendait avec impatience de pouvoir enfin parler à quelqu'un qui se souviendrait de Marty, qui pourrait lui parler de lui et n'aurait pas égaré un pan de son passé.

Marty passa une fois de plus l'heure du déjeuner dans les magasins. Cette fois, il se rendit à Brooklyn, sur la Treizième Avenue, qui était bondée de mères de famille poussant des landaus, de pickpockets et de vendeurs ambulants proposant pour trente dollars des montres Omega en or avec garantie. L'avenue était bordée de petites boutiques disparates qui tranchaient dans ce quartier propret. Dans ce désordre organisé, Marty se sentait étranger ; mais c'était là ce qu'il recherchait, comme dans le Queens. Personne ne le reconnaîtrait.

Il descendit l'avenue noire de monde, dans les rafales de vent glaciales. Des souvenirs amers lui revinrent une fois de plus en mémoire. Des mots envahirent son esprit, des mots qu'il associait précisément aux rafales de vent.

« Tu ne t'intéresses qu'à lui ! Je ne compte pas ! hurlait-elle. Moi, je ne suis rien. Tout juste bonne à nettoyer et à leur essuyer la bouche ! Et tu leur apportes des jouets ! Mais qu'est-ce que je fais avec toi ?

— Allons, c'est son anniversaire. Cela n'arrive qu'une fois par an, Alice.

— Tu es un bon à rien ! Va jouer avec tes trains !

— Je ne suis pas un bon à rien. J'ai besoin de souffler.

— Les autres hommes n'ont pas besoin de souffler, eux ! »

Les mots se bousculaient dans sa tête, et Marty savait qu'il ne pourrait leur échapper tant qu'il était en vie. Il regarda les numéros dans la rue, à la recherche de Watson, un magasin bien connu de jouets et de jeux. Il avait appelé avant de venir car il était à la recherche d'un certain nombre d'articles spécifiques : la plupart étaient en stock chez Watson. Mais il était rare de tout trouver dans le même magasin : ce n'était pas comme dans le temps. Il aperçut enfin Watson entre une laverie libre-service et un pressing, dans un tronçon de l'avenue où il n'y avait pas moins de trois boulangeries. Il fut tout de suite impressionné par l'endroit. Watson avait la réputation d'être un bon magasin de jouets qui avait des avions et des trains miniatures dans tous les coins, des maquettes impossibles à trouver et des vieux numéros de la revue *Maquettes de trains*, ainsi que des vendeurs jeunes mais sérieux sachant tout sur tout ; d'un bon magasin, enfin, qui était bondé de clients aimant à flâner là le samedi et à discuter des différents modèles.

— Puis-je vous aider ? demanda un jeune vendeur avec un enthousiasme qui exprimait bien son désir d'assister le client.

— J'ai déjà appelé, répondit Marty, et j'ai parlé à Steve.

Dans ce genre de magasin, on s'adressait toujours aux vendeurs par leur prénom.

— C'est moi.

Effectivement, il portait des lunettes et une chemise à carreaux et avait une carrure imposante.

— Vous étiez intéressé par la locomotive Diesel ?

— C'est cela.

— Veuillez me suivre par ici.

Steve entraîna Marty dans un coin poussiéreux où étaient entreposés les vieux trains électriques. Il reconnut les boîtes orange et bleu des trains Lionel des années 1950, et se dit qu'il était étonnant que les gens conservent les boîtes jusqu'au moment où ils revendent leurs trains, parfois une génération plus tard.

— Voilà, dit Steve.

Il sortit une boîte orange et bleu qui contenait une locomotive noire, de forme carrée, portant l'insigne de Santa Fe sur le côté.

— Santa Fe. C'est bien celle que vous recherchez ?

— Oui, tout à fait, dit Marty en caressant l'objet.

— Nous avons également Chesapeake et Ohio.

— Non, non, c'est celle-ci que je cherche.

— Nous pouvons y mettre un fanion. Nous avons celui de…

— Non. Santa Fe me convient tout à fait.

— Bien. Elle est en parfait état.

— Combien coûte-t-elle ?

— Un dollar vingt.

— Parfait. Je la prends.

— D'accord. Connaissez-vous la traction magnétique ?

— Oui, oui. J'en avais une.

— C'est un aimant qui fixe la locomotive sur les rails.

— Oui, répéta Marty. Je sais. J'en avais une.

Steve l'énervait, mais il tenta de dissimuler son agacement. On se souvenait toujours des clients nerveux.

— Vous vouliez aussi un wagon de laiterie, je crois ? demanda Steve.

— C'est exact.

— J'en ai un : il n'a que cinq bidons de lait, mais il est en parfait état.

— S'il marche, je le prends.

— Avez-vous les rails automatiques ?

— Non, il m'en faut, répondit Marty.

Aussitôt, des souvenirs assaillirent son esprit : il appuyait sur le petit bouton rouge fixé aux rails automatiques, le type sortait du wagon de lait et déposait les bidons sur le quai. Il entendait encore le bruit du mécanisme et se souvenait de la voix qui disait : « Tu es content, Frankie ? C'est ce que tu voulais ? » Une voix douce, gentille qui disait : « Frankie, c'est pour toi. » Marty semblait perdu sur une autre planète.

— Ça va, monsieur ? demanda Steve.

— Oui, bien sûr. Je suis un peu fatigué.

— Eh oui, c'est toujours comme ça au moment des achats de Noël. Vous allez offrir cela pour Noël ? C'est un beau cadeau.

— Non, c'est pour moi. Je suis un collectionneur. J'ai toujours aimé les trains Lionel. Mais les vieux sont encore mieux que ceux qu'ils font maintenant.

— C'est bien vrai, surtout à ce prix-là.

— Bien, dit Marty, pressé. Je veux le fourgon de queue. Le gris.

— Voici, monsieur.

— Un wagon de marchandises.

— Voilà.

— Vous m'avez dit au téléphone que vous ne saviez pas si vous aviez le wagon à bestiaux.

— J'ai vérifié, dit Steve. Nous ne l'avons pas. Ils se vendent très vite, vous savez. Je ne peux rien vous promettre.

Marty demanda quelques autres articles et refit dans sa tête la liste de ce qui lui manquait. Steve enveloppa les objets et Marty paya en liquide la somme de trois cent soixante et onze dollars. Pas de signature. Pas de trace.

Il se sentit tout excité d'avoir les trains en remontant la Treizième Avenue vers le métro. Il avait adoré ces trains, même s'il ne les avait eus que quelques jours. Il se demanda même si, par hasard, ce n'était pas précisément ceux qui lui avaient appartenu. Quelqu'un les avait probablement vendus à Watson. Il savait que cela ne datait pas d'hier, mais c'était tout de même possible.

Comme il avait dit à Steve que les trains étaient pour lui, il n'avait pas pu demander d'emballage cadeau. Et pourtant c'était nécessaire pour que son personnel croie que c'étaient des cadeaux pour ses associés. Il ne voulait surtout pas que l'on puisse voir le nom du magasin : il entra donc dans une boutique pour acheter du papier cadeau et de l'adhésif, puis s'assit sur un banc, à un arrêt de bus, et enveloppa les trains lui-même.

« Tu es un bon à rien. Va jouer avec tes trains ! »

Ces mots hantèrent Marty une fois de plus. Il savait que ces trains ne feraient que raviver ses souvenirs. Cela s'était passé ainsi l'année dernière, et l'année précédente.

« Pas devant les enfants, Alice ! »

Tout cela avait-il été causé par les trains ? Non, Marty savait bien que c'était beaucoup plus grave. Il tenta une fois de plus d'effacer ces souvenirs de sa mémoire en se dirigeant vers le métro, suivi de près par trois adolescents menaçants qui le fixaient et convoitaient ses cadeaux de Noël. Marty sentit son cœur battre de plus en plus rapidement et se hâta de franchir le tourniquet.

— Joyeux Noël, lui dit sarcastiquement l'un des jeunes gens.

Le petit groupe s'éloigna, préférant des hommes plus âgés qui ne pourraient pas se défendre.

Marty aperçut une religieuse qui quêtait pour un orphelinat. Les orphelins avaient toute sa sympathie, et il déposa un dollar dans la sébile.

— Que Dieu vous bénisse, lui dit la nonne.

— Merci, ma sœur.

La chaîne, le marteau, les trains. Marty approchait du but. On était bientôt le 5 décembre. Dans les prochains jours, il serait envahi par cette sensation étrange, ce besoin auquel il savait bien qu'il ne pourrait résister.

4

Samantha continua à fouiller méthodiquement dans le passé de Marty. Elle hésitait toujours à rappeler l'université de Northwestern, surtout après le désastre de son coup de fil à l'école primaire, mais elle poursuivit son enquête sur l'enfance de Marty à Elkhart. Elle appela tout d'abord le collège, mais le directeur adjoint refusa de coopérer, suggérant à Samantha de formuler sa requête par écrit : il lui expliqua sur un ton pontifiant que les dossiers étaient confidentiels.

Samantha appela ensuite le lycée : l'atmosphère lui sembla beaucoup plus chaleureuse. Mais il n'y avait aucune trace de Martin Shaw. Son nom ne figurait sur aucune liste.

Samantha sentit la panique la gagner, mais parvint rapidement à se maîtriser. Elle repensa à l'hypothèse émise par Cotrell, selon laquelle les dossiers auraient pu être réclamés et jamais restitués. Peut-être avait-on demandé tous les dossiers de Marty un jour et n'avait-on pas pris le soin de les renvoyer. Quant aux photos de classe, elles avaient peut-être été égarées, ou mal classées. On pouvait trouver mille explications.

Samantha appela donc la mairie d'Elkhart pour demander un certificat de naissance.

— Non, madame, lui dit la fonctionnaire d'une voix bourrue. Aucun Martin Shaw n'est né ici.

— Est-il possible que sa naissance n'ait pas été déclarée ? demanda Samantha sans parvenir à dissimuler son désespoir.

— Une chance sur mille. Ce n'était pas au siècle dernier. Toutes les naissances étaient déclarées à ce moment-là.

Samantha ne put retenir la vague d'angoisse qui la submergea. Pas de certificat de naissance. Pas de dossier scolaire. Aucune trace de Marty à Elkhart. Puis elle repensa à la déclaration de naissance et appela le bureau qui s'occupait de la conscription. Pas de Martin Shaw. Il n'était sur aucune liste. Les préparatifs du quarantième anniversaire de Marty tournaient à l'horreur. C'était une incursion dans un passé qui n'existait pas. Et pourtant Samantha refusait de se rendre à l'évidence. Il y avait sans nul doute une explication.

Elle n'osait pas s'en ouvrir à quelqu'un, trouvant cela trop gênant. Comment dire à une amie que le passé de son mari n'existe pas ? Comment avouer que celui-ci a peut-être quelque chose à cacher ? Impossible. Elle ne voulait pas affronter à nouveau le regard et la curiosité de Lynne. Seul Marty pourrait lui donner les clés du mystère. Et Samantha savait qu'il le ferait. Elle ne lui poserait pas de questions directement, non. Lui révéler qu'elle avait plongé dans son passé dévoilerait la principale surprise de la fête. Elle allait tenter de l'interroger indirectement, avec subtilité. Il ne s'en rendrait même pas compte.

Mais elle décida de donner un coup de téléphone tout de suite. Gênant ou non, elle allait appeler l'université et tirer l'affaire au clair. Il y avait peut-être là un espoir, une preuve à laquelle se raccrocher. Après tout, Marty possédait effectivement son diplôme. C'était une preuve tangible.

Elle s'arma de courage : chaque appel devenait pénible car il pouvait lui attirer insultes et rebuffades. Mais elle composa le numéro et demanda à parler au président Sanford Beale. Il fallut quatre minutes pour le trouver, puis six autres pour le faire venir du hall, où il se disputait avec un étudiant, jusqu'au téléphone. Samantha tapotait nerveusement le combiné en attendant.

— Beale à l'appareil, dit une voix morne.

— Je m'appelle Samantha Shaw.

— Oui, je sais, répondit Beale sans aucune chaleur. La standardiste qui a pris votre appel m'a tout expliqué. Que puis-je faire de plus ?

— Tout d'abord, je voulais vous dire que j'ai de bonnes nouvelles, dit Samantha. Je ne sais pas ce qui s'est passé dans vos archives, mais mon mari a bien son diplôme. Je l'ai sous les yeux.

— Vraiment ? s'étonna Beale.

Son ton froid choqua Samantha.

— Absolument ; il l'avait égaré.

— Madame, c'est un faux.

Il y eut un silence de mort. Que pouvait-elle répondre à cela ? Que pouvait-on dire en fait ?

— Mais comment pouvez-vous le savoir ? demanda-t-elle en tentant de se contrôler.

— C'est mon travail d'être au courant de ce genre de choses, madame, dit Beale. Votre mari n'est jamais venu à Northwestern. Inutile de chercher plus loin.

— Mais pourquoi ?

— Parce que les gens ne passent pas ici sans laisser de trace. S'il utilise un faux diplôme, nous entamerons une action. Vous le savez sans doute déjà. Maintenant, si vous permettez…

Une idée loufoque traversa l'esprit de Samantha :

— Et si Marty était impliqué dans une action secrète pour le gouvernement et qu'on ait voulu dissimuler toute trace de son passage à Northwestern… pour une raison ou une autre ?

— Il y aurait tout de même ici des gens qui se souviendraient de lui, répondit Beale. D'autre part, s'il voulait faire oublier son passage à Northwestern, il ne laisserait pas traîner son diplôme.

C'était vrai.

— Vous pourriez peut-être en parler avec lui, poursuivit Beale sur un ton qui devenait enfin plus humain. Sinon, laissez tomber. Ce faux diplôme est peut-être une erreur de jeunesse. S'il ne l'utilise pas, cela ne vaut pas la peine de mettre en danger…

Beale ne termina pas sa phrase. Mais cela n'était pas nécessaire : la confrontation avec Marty pouvait très bien mettre son couple en danger.

La conversation prit fin sur cette note pleine d'amertume. Samantha se précipita pour examiner le « diplôme » de Marty une fois de plus. Il avait l'air authentique, mais elle savait combien il était facile de fabriquer des faux. Ses mains tremblaient tandis qu'elle lisait ce qui était écrit sous les mots *Northwestern University*. Oui, c'était une vraie crise, la première depuis leur mariage, et particulièrement grave. La soirée perdait tout son intérêt. Samantha n'avait jamais pensé devoir un jour mettre ainsi Marty face à son passé. Elle n'aurait jamais cru devoir le questionner.

Il rentrerait dans quelques heures. Il fallait qu'elle prépare une stratégie et qu'elle prévoie tous les aspects de la conversation. Elle sentit l'épuisement, dans sa tête et même dans son ventre. Le jour même où elle avait appris son existence, elle avait déjà peur pour son bébé.

Marty rentra, fatigué et affamé comme d'habitude. Tout l'après-midi, il avait eu des réunions avec des clients ; l'un d'eux l'avait épuisé par son insistance à vouloir faire publier le programme de gymnastique de sa femme dans la rubrique scientifique du *New York Times*. Marty lui avait expliqué que le *Times* était difficilement abordable pour les personnes chargées des relations publiques et que le journal ne voulait que des nouvelles exactes. Mais le client avait insisté en proposant de payer pour faire publier l'information. Marty lui dit alors qu'il était impossible d'acheter ce journal. Ce à quoi son client avait répondu :

« On peut tous les acheter. J'exige que l'article de Ruthie paraisse dans ce journal. »

Puis il était sorti en claquant la porte. Marty avait clos son dossier, non sans regret, car c'était là une grosse perte pour la société.

Il ne remarqua rien d'inhabituel chez Samantha en entrant. Elle portait la même jupe grise et le même haut bleu que dans la journée, ses cheveux étaient tirés en arrière et elle avait l'air très calme. Samantha savait dissimuler ses soucis et, ce jour-là, elle sut aussi cacher la nouvelle de sa grossesse. Mais, dès que Marty regarda ailleurs, elle le fixa avec plus d'intensité que jamais. Elle voulait connaître sa véritable histoire et se demandait comment résoudre l'énigme. Qu'y avait-il derrière ce visage ? Samantha redoutait la réponse. Mais elle niait toujours l'évidence. Cet homme n'était pas méchant. Il était pur. Tout allait s'arranger.

— Tu as l'air épuisé, lui dit-elle.

— Épuisé, oui. Et vaincu.

— Tu n'as pas l'habitude de parler ainsi, fit-elle remarquer en fronçant les sourcils.

Marty retira son manteau et son veston puis sa cravate de soie à rayures rouges.

— Je n'ai pas l'habitude d'avoir des clients de ce genre non plus, dit-il en se laissant tomber dans un fauteuil.

Il étendit ses jambes, posant ses pieds sur une petite table, et raconta à Sam l'épisode avec son client.

— Il fallait entendre ce fou. Il voulait que je remette cinq mille dollars en liquide au rédacteur en chef du *Times* pour qu'il publie l'histoire de sa femme et de sa gymnastique amaigrissante. Et il a été choqué lorsque j'ai refusé.

— Lui as-tu proposé autre chose ? demanda Samantha en lui tendant une boîte de chocolats.

— Non. Ce n'était pas le genre. J'ai dû rompre le contrat.

— Très bien.

— Ce n'est pas très bien pour le compte en banque.

— Non, mais c'est très bien pour toi. Des gens comme cela ne sont pas intéressants. Ce sont des escrocs.

Marty regarda Samantha avec amusement.

— Tu sais, chérie, la plupart des gens sont des escrocs. Qui sait ce qu'ils font avec leur déclaration de revenus ? Je pense que sa femme a de l'argent. Je suis très fort pour deviner ce genre de choses.

— En tout cas, tu as fait ce qu'il fallait, dit-elle. Oublie cet imbécile. Que dirais-tu d'une entrecôte ?

Marty se détendit immédiatement.

— Formidable, dit-il. Au fait, j'ai vu un papier sur ta table. Tu n'avais pas rendez-vous avec Fromer aujourd'hui ?

— Oui, improvisa rapidement Samantha. La visite annuelle de routine.

— Tout va bien ?

— Il faut attendre dix jours pour avoir les résultats des examens, mais je suis en bonne santé.

— J'espère bien, dit Marty en se levant pour prendre Samantha dans ses bras, qui sentit combien ses mots étaient pleins d'amour. Tu vivras jusqu'à cent ans… et je veux être à tes côtés.

— Bien sûr, répondit tendrement Samantha.

Les Shaw dînaient toujours aux chandelles, sur une table placée près de la fenêtre du salon et toujours revêtue d'une nappe blanche. Samantha et Marty aimaient avoir une table élégante ; cela signifiait que leur union méritait ce qu'il y avait de plus beau, qu'elle était spéciale et que chaque soir était un événement. Ils refusaient de se laisser aller à manger des hot-dogs trop cuits sur un coin de table de cuisine mal nettoyée.

Dès qu'ils s'asseyaient, ils regardaient par la fenêtre et ne se lassaient jamais du spectacle de la ville illuminée.

C'était un rêve dont Samantha espérait de tout cœur ne pas se réveiller.

Elle repensa cependant à la stratégie qu'elle avait prévue. Elle voulait obtenir certains renseignements de lui.

— Il m'est arrivé quelque chose d'amusant aujourd'hui, commença-t-elle.

— Ah bon ?

— Je me dirigeais vers le cabinet de Fromer et un type m'a arrêtée dans la rue pour me demander une direction. Devine d'où il venait ?

— De Mars.

— Presque. D'Elkhart.

— Elkhart, Indiana ? demanda Marty avec intérêt.

Samantha lui jeta un regard qui semblait vouloir dire : « Et où donc, sinon là ? »

— Je le connais peut-être, dit Marty.

— Peut-être. Nous avons un peu parlé. Il est allé à Braden.

— Comment s'appelle-t-il ?

— Wilson. Fred.

Samantha l'observa attentivement, se demandant si Marty allait prétendre connaître cette personne née de son imagination.

— Ça ne me dit rien.

— Il a un an de moins que toi. Il m'a dit qu'il pensait connaître ton nom.

— C'est très vieux. Nous n'étions pas les seuls Shaw à Elkhart. Je ne connais pas ce type.

— Il est allé au collège là-bas aussi. Il m'a dit qu'il jouait au football.

— C'est possible. Ça ne me dit toujours rien.

— L'équipe d'Elkhart était-elle bonne ?

— Assez bonne, dit Marty avec un haussement d'épaules.

Samantha se contracta, mais tenta une fois de plus de ne pas le montrer. Elle avait téléphoné à un journal local d'Elkhart et avait appris que, pendant trois des quatre années que Marty avait passées au collège, l'équipe n'avait jamais été battue.

— Moyenne seulement ?

Tout à coup, Marty fixa Samantha. Les soupçons se lisaient dans ses yeux.

— Pourquoi ? demanda-t-il brutalement.

— Je voulais juste savoir, répondit Samantha qui sentait son cœur battre la chamade. À entendre ce type, on aurait cru que ces joueurs étaient des dieux.

— Je ne jouais pas beaucoup au football, dit Marty en se remettant à manger. Avec tous les problèmes de ma famille.

Un silence gêné s'installa. Samantha eut honte : comment avait-elle pu oublier ?

— Quoique, poursuivit-il, en y repensant, je crois me souvenir qu'ils ont gagné pendant plusieurs années de suite.

Samantha se sentit soulagée. Il savait. Il se souvenait.

— C'est ce que m'a dit ce type. Tu aimerais peut-être le rencontrer.

Samantha perçut une légère angoisse dans le regard de Marty. Il s'était arrêté de manger, puis se rendit compte de son émoi et reprit sa fourchette.

— Tu n'as pas donné notre numéro de téléphone, n'est-ce pas ?

— Non.

— Ne le donne jamais, dit-il avec un soulagement évident. Je fais parfois des cauchemars à ton sujet, ajouta-t-il en regardant tristement Samantha. J'ai toujours peur qu'il t'arrive quelque chose.

— Allons, Marty, il ne va rien m'arriver.

— Non, bien sûr que non. Mais il faut faire attention. J'en ai vu tellement dans ma vie. Il peut arriver des choses terribles.

Il prit la main de Samantha et la serra très fort, comme s'il ne voulait plus la lâcher.

— Fais attention, supplia-t-il. Tu es tout ce que j'ai.

— Je ferai attention pour nous deux, dit-elle.

Ils restèrent ainsi pendant presque une minute, en se regardant dans les yeux, sans bouger, exprimant leur amour par la seule étreinte de leurs mains. Marty avait besoin d'elle, elle le savait, et c'était agréable, même avec le mystère de son passé.

Enfin, lentement, ils se remirent à dîner. Marty, comme à son habitude, dévora.

— Ce steak est délicieux. Où l'as-tu acheté ?

— Chez D'Agostino. En promotion. Devine qui m'a appris à dénicher les affaires ?

— Ouais, ouais. Sacré Marty Shaw qui sait comment économiser trois sous. Avec mes clients, je suis à bonne école, dit-il en riant.

— Tu sais, dit Samantha pour changer de sujet et poursuivre son interrogatoire, j'ai oublié de te dire que j'ai vu un magazine d'informations aujourd'hui à la télévision. Il y avait un journaliste qui fusillait les écoles de journalisme : il a cité la tienne, Columbia et une troisième.

— Celle du Missouri, probablement.

— Oui, c'est cela. Il disait que ces écoles formaient des techniciens. Cela m'a mise en colère.

— Ce n'est pas neuf, dit Marty en haussant les épaules.

— Est-ce que cela t'a été utile d'aller à Medill ?

— Bien sûr, j'y ai beaucoup appris et je me suis fait des relations.

— Ce journaliste prétend que l'on peut apprendre la même chose sur le tas.

— On peut dire cela de tous les métiers, déclara Marty. Un étudiant en médecine en apprendrait sans doute autant dans le cabinet d'un médecin qu'à l'université.

Marty ne savait absolument pas que l'interview dont Samantha parlait était une pure invention.

— Qu'as-tu étudié à Medill ?

— Voyons, dit Marty en s'appuyant au dossier de sa chaise. La rédaction de nouvelles, le reportage, la publication, la photographie.

— L'école de journalisme avait-elle un bâtiment à part ?

— Bien sûr.

— Je m'étonne qu'ils ne t'envoient jamais rien. Ils ont sûrement une association d'anciens étudiants.

— Je ne leur ai jamais envoyé mes adresses lorsque je déménageais. Dis donc, ajouta Marty en regardant Samantha dans les yeux, tu fouilles dans mon passé ce soir ?

Samantha sentit le froid mais répondit avec naturel.

— Je t'aime. Ton passé m'intéresse.

Elle savait qu'elle ne devait pas aller trop loin pour éviter d'éveiller les soupçons de Marty. Mais elle voulait poser encore une question, et elle le fit avec précaution.

— D'accord, j'abandonne ton histoire mais, tu sais, je voudrais faire encadrer ton certificat de naissance un jour.

— Si je le retrouve, marmonna Marty sans sembler préoccupé par cette histoire de certificat.

Ils terminèrent leur dîner et parlèrent de la soirée. Marty approuva la liste des nouveaux invités tout en ayant l'air soucieux. Samantha pensa que c'était à cause du client qu'il avait perdu. Mais, en fait, Marty se débattait une fois de plus avec ses souvenirs : celui d'un train électrique posé sur le sol du salon. Il ne savait pas ce qui lui avait évoqué cet épisode, mais il venait d'entendre un klaxon de camion qui ressemblait étrangement à celui de son train. Cela lui suffisait pour le plonger dans un monde différent, un monde qui s'obstinait à le dominer.

Samantha n'avait pas l'habitude de voir Marty préoccupé, car il ne s'intéressait en général qu'à elle, mais c'était toujours pour des raisons professionnelles. Cette fois, elle se souciait moins de lui que des résultats de son enquête discrète. Elle se rendit compte qu'elle avait appris très peu de choses. Marty était au courant des succès d'Elkhart en football. Et alors ? Tout homme se forgeant une légende se serait familiarisé avec le sport local. On pouvait en dire autant pour le programme de Medill. Facile à connaître. Tout ce qu'il avait dit à Samantha se trouvait probablement sur la brochure et elle savait qu'elle ne pourrait poursuivre son questionnaire.

Elle avait cependant encore une idée qu'elle s'apprêtait à mettre en pratique, malgré sa crainte de déplaire à Marty. C'était un plan de la dernière chance qui pouvait très bien faire craquer la carapace de Marty et lui faire dévoiler au moins une partie de son passé. Au moment où il allait se coucher, Samantha entra dans la pièce en affichant une certaine appréhension.

— Quelque chose ne va pas ? demanda-t-il.

— Tu veux vraiment savoir ?

— Oui, dit Marty avec un air soucieux. Il t'est arrivé quelque chose ?

— Non, mais cela pourrait être le cas.

La curiosité de Marty était de toute évidence piquée.

— D'accord, allons-y, reprit-elle. Tu étais susceptible ce soir à propos de ton passé.

Marty se raidit puis dit en riant :

— Pas vraiment.

— Si, si, insista Samantha. Tu étais irritable. J'aurais dû comprendre. De toute façon, je voulais t'offrir ce super cadeau d'anniversaire.

— Mais, Sam, la soirée est déjà mon cadeau.

— Non, je veux t'offrir plus que cela. Quelque chose qui soit pour toi seul. Pour nous.

— Tu es extraordinaire.

— Écoute. J'ai pensé que ce serait extraordinaire si je… si je prenais… des billets d'avion.

— Des vacances ?

— En quelque sorte, dit-elle innocemment. J'ai pensé que nous pourrions aller dans le Midwest. Tu pourrais retourner à Elkhart, revoir ta maison puis faire un saut à Northwestern. Je sais que ta vie a été difficile, chéri, mais tout le monde a envie de revoir sa maison un jour ou l'autre. Tu n'aimes pas cette idée ?

— Quand veux-tu partir ? demanda Marty après quelques instants de silence.

— Après la soirée. Au moment de Noël. Il fait froid, mais j'aime la période des fêtes.

— Eh bien, d'accord !

— C'est vrai ? Elkhart ? Northwestern ?

— Absolument. C'est le bon moment pour partir : les affaires sont très calmes et je serai ravi de prendre des vacances.

Un immense espoir naquit dans le cœur de Samantha.

— Tu sais, poursuivit Marty, je te montrerai certains des endroits où j'emmenais mes petits flirts.

— Les zones de combat, hein ?

— Oui, je connaissais les meilleurs endroits. Je te montrerai ma chambre à Northwestern, avec la vue sur le lac Michigan. Je te montrerai tout…

— Je veux voir la maison dans laquelle tu as vécu.

— Une petite maison blanche avec deux cheminées. C'était d'ailleurs comme cela qu'on la reconnaissait. Tout le monde savait que la maison des Shaw avait deux cheminées.

Samantha se sentait optimiste. En acceptant de faire ce voyage, Marty n'éludait plus la question de son passé ; il semblait même particulièrement enthousiaste à l'idée de partir et Samantha ne parvenait pas à en comprendre la raison. Peut-être sa suggestion avait-elle fait surgir des sentiments dont Marty lui-même ignorait l'existence. Quoi qu'il en fût, Samantha avait une certitude : un homme qui dissimule son passé n'aurait pas accepté de faire ce voyage. Certes, elle ne pouvait toujours pas expliquer l'histoire des dossiers égarés et l'embarras suscité par sa demande à Northwestern et à Elkhart. Peut-être Marty avait-il été victime d'employés négligents ? Ou bien peut-être les dossiers avaient-ils été retirés des archives sur ordre d'un tribunal quelconque, pour des raisons qu'elle ne pouvait imaginer.

— Je m'occupe des billets ! dit-elle.

— Essaie la compagnie United, répondit Marty. Pourquoi n'allons-nous pas jusqu'à Chicago pour commencer par Northwestern ? Nous pourrons louer une voiture pour aller jusqu'à Elkhart. C'est ce que je faisais tout le temps.

— Y a-t-il de bons restaurants à Evanston ?

— Bien sûr. Et ils se souviendront de moi. J'ai connu un type à l'école de journalisme qui voulait devenir critique gastronomique. Puis il a changé d'avis et a ouvert son propre restaurant. Je serais content de le revoir.

Samantha était aux anges. C'était exactement ce qu'elle voulait entendre.

Puis il fit ce qu'il avait déjà fait une fois, juste lorsqu'elle avait accepté de l'épouser : il fit une petite gigue écossaise dans la pièce, puis il s'arrêta et ouvrit de grands yeux, comme un petit garçon.

— Je commande des glaces, annonça-t-il. Il y a ce nouvel endroit qui les livre à domicile vingt-quatre heures sur vingt-quatre. Chocolat ?

— D'accord, répondit Samantha en riant.

Cette scène l'avait rendue folle de joie.

Marty passa le coup de fil.

Il était confiant.

Il savait que ce voyage dans le Midwest n'aurait jamais lieu.

5

— Elle existe donc toujours, avec ses deux cheminées. C'est formidable ! Merci beaucoup de m'avoir donné le nom des gens qui y habitent maintenant. Nous ne manquerons pas de prendre contact avec eux.

Samantha, radieuse, reposa le téléphone et se tourna vers Lynne :

— Voilà un coup de fil bien agréable. C'est une bonne journée.

— La maison est-elle encore bien comme Marty te l'a décrite ?

— D'après ce que m'a dit l'officier de police, elle est tout à fait semblable : il ne pense pas que l'on ait fait des transformations. Je vais écrire aux gens qui y habitent. Je me demande s'ils ne permettraient pas à Marty de voir son ancienne chambre.

— J'ai une idée, dit Lynne en retenant un bâillement. Propose-leur de t'envoyer des photos à montrer au cours de la soirée. Tu pourrais les dédommager pour les frais.

— Je leur poserai la question.

Samantha se sentait bien maintenant : ce coup de téléphone au commissariat de l'ancien quartier de Marty l'avait rassurée, ainsi que celui qu'elle avait passé à la préfecture : elle s'était en effet souvenue que son mari avait un passeport et elle avait demandé quelles pièces il avait fournies pour l'obtention de ce document. On lui répondit qu'il avait présenté un certificat de naissance établi à Elkhart. Samantha en conclut donc que la mairie lui avait donné un mauvais renseignement.

Les propos que Marty lui avait tenus la veille et ces deux coups de téléphone avaient ranimé sa confiance en lui. Elle se sentait prête à reprendre sa démarche initiale : trouver des gens qui avaient connu Marty et acceptaient de partager leurs souvenirs. Certes, personne au commissariat ne se souvenait de lui, mais aucun des policiers n'était dans le quartier depuis plus de quinze ans. Samantha décida, afin d'éviter tout remous qui pourrait avoir des retombées fâcheuses sur la carrière de Marty, de ne pas rappeler Northwestern.

— Il parle souvent de l'armée, dit-elle à Lynne. Tu sais, il s'est engagé.

— Je veux bien le croire, dit Lynne en prenant une pomme dans la corbeille à fruits. Marty est une tête brûlée. Mon Charlie, lui, aurait capitulé tout de suite.

— Ses supérieurs voulaient qu'il devienne officier, mais il a refusé, poursuivit Samantha.

— Il avait sûrement un meilleur niveau d'instruction que la plupart d'entre eux.

— Absolument. Il m'a dit que ses supérieurs le traitaient d'égal à égal. L'un des officiers lui a même dit qu'il était complexé parce qu'il n'avait pas de diplôme universitaire.

— T'a-t-il donné le nom de ses copains de l'armée ?

— Il y avait le caporal Bose, dit Samantha après un instant de réflexion. C'était son meilleur ami. Oui, Richard Bose. C'est vraiment stupide qu'il ait perdu sa trace.

— Fais un miracle, suggéra Lynne en croquant dans sa pomme. Appelle Washington et essaie de retrouver l'adresse de ce Bose. Ils l'auront peut-être.

Sans même répondre, Samantha se dirigea vers le téléphone Elle avait déjà eu cette idée, mais Lynne lui donnait maintenant le courage de passer à l'acte. Elle composa donc le numéro du ministère de la Défense et se trouva immédiatement en communication avec l'administration militaire : elle dut expliquer son affaire à neuf personnes différentes avant de tomber sur le sergent compétent.

— Sergent Mulligan.

— Bonjour, sergent, dit Samantha, déjà épuisée par ce marathon téléphonique à travers le dédale de l'administration. Je m'appelle Samantha Shaw.

— Que puis-je faire pour vous ? demanda-t-il d'une voix qui laissait croire qu'il était au garde-à-vous.

— Mon mari, Martin Shaw, était dans l'armée dans les années 1960, juste après sa sortie de l'université.

— Au Vietnam ?

— Très peu de temps. Il a été essentiellement à Fort Polk.

— J'y étais moi aussi. C'est pour une pension d'ancien combattant ?

— Non, pas du tout. C'est beaucoup moins important. Mon mari était engagé. Il avait de très bons amis que j'essaie de retrouver.

— Vous voulez donc que j'essaie de vous procurer une adresse ?

— Exactement.

— Rien de plus simple, madame. On nous demande ce genre de choses toute la journée.

— Je vous suis très reconnaissante, dit Samantha en adressant un salut militaire à Lynne qui faisait signe qu'elle serait bientôt de retour.

— Pouvez-vous me donner le nom de son camarade, madame ? demanda Mulligan.

— Bose, Richard Bose.

— Les archives sont à Saint Louis, mais elles sont informatisées. Je vais voir si Bose figure sur ma banque de données.

— Merci.

Samantha entendit Mulligan taper sur un clavier. Au même moment, Lynne partit. Pendant les quelques instants d'attente, Samantha repensa à tous les détails de la soirée et au voyage avec Marty.

— Madame ?

— Oui.

— Je n'ai pas de Richard Bose sur mon terminal, mais ce n'est pas rare. Je vais essayer de croiser les données en entrant le nom de votre mari : il me faut son régiment. Bose était-il avec lui ?

— Je pense. Je suis un peu gênée de vous faire perdre votre temps avec cela. Je suis sûre que vous avez plus important à faire, sergent.

— Pas vraiment, madame. Connaissez-vous le régiment de votre mari ?

— Hélas, non.

— Je suppose que vous ne connaissez pas son matricule non plus.

— Cela oui, répondit Samantha sur un ton réjoui. Je l'ai mémorisé un jour pour un pari. C'est RA38567194.

— Je vais le passer dans la machine.

Samantha attendit une fois de plus, cette fois en refaisant la liste des personnes avec qui elle voulait prendre contact dès qu'elle aurait retrouvé Bose. Marty avait travaillé pour un petit journal en Californie, et elle se dit que ses anciens collègues auraient sûrement des anecdotes du temps où il travaillait comme journaliste, avant d'être dans les relations publiques.

— J'ai trouvé, dit Mulligan. C'était le bon numéro.

Puis il fit une pause avant de reprendre sur un ton plus posé, moins exubérant :

— J'ai le détail de sa carrière militaire sous les yeux, madame.

— Y a-t-il quelque chose de bizarre ? demanda-t-elle en remarquant le changement de ton.

— Je… Euh… Je suis désolé, madame.

— Désolé ? Mais de quoi ?

— Pour votre mari, madame.

— Mais de quoi donc ?

Mulligan hésita : il trouvait cette histoire étrange.

— Je suis désolé qu'il ait été tué au Vietnam, madame Shaw.

Samantha eut l'impression de recevoir un coup de marteau sur la tête. Pendant quelques instants, elle fut abasourdie. Tout était si merveilleux juste quelques heures auparavant, avec la perspective du voyage dans le Midwest. Maintenant tout était à nouveau incompréhensible. Elle ne pouvait pas croire ce qu'elle venait d'entendre. Ces mots étaient trop perturbants. Marty était vivant. Il était là, en chair et en os. Qui donc était ce mort ?

La salle de conférences était enfumée malgré les ventilateurs que Marty avait voulu allumer. Il s'assit à l'extrémité de la longue table pour présider une réunion avec un nouveau client important, une compagnie aérienne dont le nombre de passagers ne cessait de décroître. Marty et une jeune femme étaient les deux seules personnes à représenter sa société face à huit dirigeants de la compagnie aérienne qui étaient accompagnés de deux avocats, un comptable et un psychologue qui devait étudier les différents modes de relation avec la clientèle. Marty avait devant lui quelques brochures : après avoir défait sa cravate, il semblait prêt à livrer bataille. Il savait par expérience que ce genre de client aimait avoir l'impression que leurs conseillers en relations publiques dépensaient des kilowatts d'énergie créatrice.

— Votre problème, dit-il aux personnes présentes, est que personne ne semble considérer votre compagnie aérienne comme franchement supérieure aux autres. Elle se situe dans la moyenne.

Le président de la compagnie était un ancien pilote de quarante-huit ans, bronzé et d'allure sportive.

— Quelle solution proposez-vous ? demanda-t-il sur un ton presque militaire.

— Il nous faut définir ce qui pourrait vous distinguer de la moyenne.

Tous les participants éclatèrent de rire. Marty les regarda l'un après l'autre.

— La situation est grave, n'est-ce pas ?

— Nous ne sommes ni Delta ni Lufthansa, dit le président. C'est bien pour cette raison que nous avons besoin de vous.

— Voici l'origine du problème, poursuivit Marty. Vous êtes trop modestes. Vous vous cantonnez dans l'ombre des grandes compagnies au lieu de vous lancer dans la bataille. Bien. Je vais m'arrêter de parler et vous laisser m'énoncer ce qui, selon vous, constitue vos atouts principaux. Je vous écoute.

Marty s'installa au fond de son siège et fit signe au président, qui commença à parler – d'abord lentement, puis sur un rythme plus rapide – de la qualité technique qu'il avait su obtenir. Marty se mit à penser à autre chose. Cela lui était déjà arrivé mais, depuis quelque temps, c'était de plus en plus fréquent. Cela s'était passé de la même façon les années précédentes. Dès que le 5 décembre approchait, il n'arrivait plus à se concentrer sur son travail. Les mots lui revenaient à l'esprit. Il entendait toujours les voix :

« T'as peur que les gosses découvrent la vérité à ton sujet ? Qu'ils sachent que tu es incapable de garder un boulot ?

— Ils découvriront peut-être la vérité à ton sujet aussi. Où as-tu passé la nuit, Alice ?

— Tu me traites de pute, c'est ça ? »

Marty n'entendait rien de ce que disaient les dirigeants de la compagnie aérienne. Il sentait la sueur couler sur son front. C'était épouvantable maintenant : il était agité par une tempête intérieure qui lui faisait perdre son sang-froid habituel.

« Traite-moi de pute ! Allez ! Vas-y !

— Frankie, avait répondu la voix douce. Tu devrais aller dans ta chambre. »

Marty entendit tout à coup une question qui avait fusé de l'autre bout de la table.

— Cela ne serait-il pas un aspect sur lequel la compagnie devrait insister, Marty ?

Dieu merci, il avait saisi la question : aucun des participants ne soupçonnait ce qui se passait en lui. Mais il n'avait pas entendu ce qui s'était dit avant. Fais semblant. Fais bien semblant.

— Je pense, dit Marty après s'être raclé la gorge, qu'il faut mettre cela en balance avec d'autres facteurs. Le public a atteint un point de saturation. Tout ne peut pas être considéré sur le même plan.

— Mais nous pourrions mettre l'accent sur cet aspect, dit l'un des responsables.

— Je ne pense pas qu'il serait sage de prendre une décision tout de suite, répondit Marty. Il faudrait d'abord étudier la question.

— C'est d'accord, conclut le président.

Ils approuvèrent tous d'un signe de tête.

— Je voudrais quelques renseignements complémentaires, dit Marty.

Le comptable lui exposa alors comment la compagnie avait fait des économies en faisant imprimer ses menus à Taïwan ; Marty eut à nouveau le plus grand mal à fixer son attention. Une image prit forme dans sa tête : il vit les trains en action et entendit leur cliquetis qui résonnait dans la maison. Lorsque le comptable se mit à citer des chiffres, Marty prit un crayon. Les dirigeants pensaient qu'il prenait des notes ; en fait, il écrivait une lettre.

Cher papa,

Le moment est à nouveau venu. Comme l'année dernière et les années précédentes. Je sais que tu te fais du souci pour moi et pour mon avenir. Mais il ne faut pas. Tout ira bien. Ce qui compte, c'est qu'il me reste un bon souvenir de toi. J'espère que tu es fier de moi, que tu seras fier de moi le 5.

Ton fils qui t'aime

Frankie

Le comptable fit une pause.

— Vous avez pu tout noter ? demanda-t-il à Marty.

— Bien sûr, répondit-il. J'ai noté l'essentiel.

Il glissa la lettre dans une enveloppe.

— Je vois, dit Samantha, les mains tremblantes. Excusez-moi de vous avoir fait perdre votre temps.

Ainsi donc, Marty n'avait pas travaillé au *San Diego Union* alors qu'il lui avait raconté tant d'histoires du temps où il s'occupait des faits divers et des procès. Ils ne connaissaient pas son nom, n'avaient même pas de formulaire de demande d'emploi au nom de Martin Shaw. Et aucun des journalistes ne se souvenait des événements qu'il lui avait racontés. Samantha appela le *Des Moines Register* où Marty prétendait avoir été également embauché : on lui fit la même réponse. Samantha cessa alors de croire que toutes ces personnes qu'elle avait contactées étaient incompétentes et incapables de gérer leurs archives.

Elle fut tout de même frappée par le fait qu'un Martin Shaw avait existé dans l'armée et que Marty avait utilisé son matricule. Il connaissait de toute évidence l'existence de ce soldat mort : pourquoi donc avait-il eu besoin d'un matricule militaire vérifiable ? Et pourquoi avait-il tant voulu se refaire un passé qui, elle le savait maintenant, était forgé de toutes pièces ?

La sécurité nationale était-elle mêlée à tout cela ? Marty était-il une sorte de James Bond qui devait brouiller les pistes ? Elle écarta cette hypothèse, se disant qu'un homme qui essaie de dissimuler quelque chose n'aurait jamais accepté ce voyage « nostalgique ».

Mais Marty avait peut-être eu l'occasion d'apprendre certains détails sur cette région au cours de voyages professionnels. Samantha se sentait dépassée par les questions, effrayée par les éventualités. Peut-être Marty était-il un déséquilibré mental, un mythomane ? Avait-il eu un accident qui avait entraîné une lésion cérébrale ? Vivait-il tout simplement dans l'imaginaire ?

Mais s'il était « normal » et s'il y avait quelque chose de bizarre dans son passé, pourquoi ne s'en était-il pas ouvert à la femme qu'il avait épousée ?

Samantha ne pouvait porter seule le poids de cette situation. Elle commençait à se rendre à cette évidence. Mais à qui pouvait-elle demander conseil ? À Lynne ? Elle était trop proche d'elle, et trop curieuse aussi. Un ami de Marty ? Ce serait l'humilier dans son dos. Et s'il y avait une véritable explication au mystère ? Une explication médicale ?

Elle n'était pas prête à affronter Marty directement ni à mettre son couple en danger.

Samantha ne connaissait aucune femme qui ait été confrontée au problème qu'elle devait résoudre : être mariée à un homme merveilleux dont le passé n'existe pas.

Elle décida enfin d'agir et conclut qu'une seule personne pourrait l'aider : un ami de Marty, tellement proche, tellement dévoué que rien ne semblait pouvoir séparer les deux hommes. Tom Edwards était son meilleur ami, un alter ego légèrement plus jeune que lui, quelqu'un qu'il voyait tous les jours. Il était agent immobilier dans l'une des agences les plus importantes de Manhattan, située dans l'une de ces boîtes de verre de la 56e Rue dont les murs étaient tapissés de plans d'appartements, de photos d'immeubles et de circulaires indiquant les hausses de loyers. Comme Marty, Tom était bien bâti, mais avait une personnalité plus tranquille, moins autoritaire. Les deux hommes étaient liés par une compréhension mutuelle instinctive. Tom avait une gentillesse qui compensait la cruauté du monde des affaires dans lequel Marty évoluait.

— Tom Edwards, se présenta-t-il avec son ton bon enfant, répondant à l'appel de Samantha.

— Tom, c'est Samantha.

— Ah, Sam. Quel honneur ! Vous ne m'appelez jamais. Vous avez donc besoin de quelque chose ?

— Oui, de vous, répondit-elle en riant.

— De moi ? Qu'y a-t-il ?

— Rien de grave. J'ai besoin d'aide.

— Il est arrivé quelque chose ?

— Non, non, pas du tout. Je ne vous dérange pas à un mauvais moment, n'est-ce pas ?

— Non, c'est une journée calme. J'allais justement appeler Marty pour bavarder un peu, dit Tom en passant la main dans ses longs cheveux prématurément blancs. Alors, que puis-je faire pour vous ?

— Vous savez que je prépare une grande fête pour Marty ?

— Bien sûr.

— Secret absolu sur ce que je vais vous dire !

Samantha s'arrêta un instant, comme paralysée.

— Eh bien ? demanda Tom.

Samantha n'arrivait pas à dire ce qu'elle avait prévu, à lui raconter ce qui s'était passé. Même à Tom, elle ne pouvait pas le raconter. Elle s'était crue plus prête qu'elle ne l'était en réalité. Elle allait biaiser en commençant par un petit interrogatoire.

— Tommy, reprit-elle enfin. Je voudrais faire une surprise à Marty pour cette occasion. J'essaie de retrouver ses vieux amis et ses anciens professeurs pour qu'ils me fassent part de leurs souvenirs.

— C'est une idée formidable !

— Vous en connaissez quelques-uns ?

— Euh, des vieux copains et des profs.

— Parfait, Tom, c'est exactement ce que je recherche.

— Il y a Harold Tyler.

— Non, Tom. Marty le voit toujours.

— Oui, mais ils se connaissent depuis très longtemps.

— Je cherche des gens qu'il a perdus de vue.

— Ah, je vois. Euh… Il y a… Non, il le voit toujours aussi.

— Des professeurs de Northwestern, par exemple, suggéra Samantha pour jauger la réaction de Tom, ou des gens d'Elkhart.

— Sam, je n'en connais aucun, finit par admettre Tom. Vous savez, Marty et moi ne sommes copains que depuis cinq ans et nous ne parlons jamais du passé. Je sais que cela peut paraître bizarre, mais c'est vrai. Ses seuls amis que je connais, vous les connaissez aussi, à l'exception d'un ou deux peut-être.

— Tom, êtes-vous en train de me dire que Marty ne vous a jamais parlé de personne ?

— Il m'a sans doute parlé de quelques-unes de ses petites amies, dit Tom avec un petit rire gêné.

— Pouvez-vous me donner leur nom, s'il vous plaît ?

— Sam, expliqua-t-il, je ne connais que leur prénom… et certains détails les concernant. C'est ce que nous nous racontons entre hommes.

— Retour à la case départ, donc, dit Samantha sur un ton qui exprimait la déception.

— Je peux vous donner le nom des amis actuels de Marty que vous ne connaissez pas.

— Merci beaucoup. Mais ce qui m'intéresse, ce sont ses copains d'avant.

— N'avez-vous pas un autre moyen de retrouver leurs noms ?

— Comment ? Je ne veux pas en parler à Marty, et il a très peu de liens avec son passé.

— C'est tout à fait compréhensible : il n'a pas eu une enfance dorée.

Samantha décida alors de changer de stratégie.

— Vous étiez dans l'armée, n'est-ce pas, Tom ?

— Oui.

— C'est curieux que vous ne vous racontiez jamais vos souvenirs de guerre.

— Oui, c'est vrai. Mais pourquoi ne vous arrêtez-vous pas au présent ? Réfléchissez-y : fouiller dans le passé de Marty ne sera peut-être pas extraordinaire après tout. Les souvenirs ont parfois des effets étranges sur certaines personnes.

— Vous croyez ?

— Qui sait ? Pensez-y. Marty a énormément d'amis maintenant. Eux seuls comptent.

— J'y penserai, promit Samantha. Bien, je vais vous laisser.

Samantha raccrocha sans avoir rien appris. Mais le manque d'information de Tom confirmait son idée : le passé de Marty était loin d'être limpide. Comment un homme pouvait-il ne jamais parler de son passé avec son meilleur ami ? Cela n'était pas naturel, pas normal. Cette conversation avec Tom n'avait fait qu'augmenter les craintes de Samantha.

Elle poursuivit son enquête, multipliant les ruses pour faire parler Marty de son passé sans éveiller ses soupçons : elle ne voulait pas risquer de le voir s'énerver comme la dernière fois qu'elle l'avait interrogé. Après le dîner, ce soir-là, elle profita d'un moment de détente alors qu'ils regardaient tous les deux un vieux film avec Humphrey Bogart pour aborder délicatement le sujet pendant un spot publicitaire :

— Tu sais, je viens juste d'y penser, nous avons terminé la liste des invités, mais il manque toujours tes anciens copains que nous devons retrouver.

— Retrouver ? demanda Marty d'un air surpris.

— Eh bien, il y a peut-être des gens que tu as perdus de vue. Dis-le-moi maintenant car il me faut le temps de retrouver leurs adresses. Je n'aimerais pas faire des invitations de dernière minute.

— Je ne veux revoir personne, répondit Marty sans détourner les yeux de la publicité pour Coca-Cola.

— Tu es sûr ?

— Absolument. Je sais ce que je veux.

— Tu n'as même pas envie de retrouver Bose du régiment ? Tu m'en as si souvent parlé.

— Sam, c'était il y a des années. Tout était différent.

— Mais tu l'aimais bien…

— Qui sait si je l'aimerais maintenant ? Il est peut-être drogué ou affublé d'une femme insupportable. Je n'aime pas déterrer les vieilles connaissances.

— D'accord. Affaire réglée.

Marty se tourna alors vers Samantha avec un sourire affectueux.

— J'apprécie ton geste, tu sais. Vraiment.

Cela fit plaisir à Samantha, mais pas le « plaisir » qu'elle avait coutume d'éprouver. Marty ne pouvait plus l'apaiser par ses paroles maintenant : trop de questions se bousculaient dans sa tête.

Il eut soudain un comportement qu'elle trouva étrange. Il se leva au milieu du film, ce qu'il ne faisait jamais, et se mit à arpenter la pièce.

— Est-ce que ce film te plaît ? demanda-t-il.

— Pas vraiment.

— Viens avec moi.

Il entraîna Samantha dans leur chambre et jeta un coup d'œil circulaire à la pièce, de gauche à droite, puis de droite à gauche.

— Que se passe-t-il ?

— Je voudrais réorganiser la pièce, dit Marty.

— Pourquoi ? Elle est très bien ainsi.

— Bien, sans plus, dit Marty sur un ton supérieur que Samantha ne lui connaissait pas.

Elle était inquiète mais tentait de dissimuler sa crainte.

— Que veux-tu faire ?

— J'ai vu une suggestion d'agencement de chambre dans un magazine de décoration intérieure qui m'a beaucoup plu.

— Tu as la revue ?

— Non, je l'ai jetée.

Pourquoi avait-il jeté un magazine alors qu'il voulait s'en inspirer ? Samantha se garda bien de poser cette question : elle sentait bien que ce n'était pas le moment de contrarier Marty.

— J'ai quelque chose à te montrer, dit-il.

Il sortit de sa serviette un paquet qu'il ouvrit immédiatement pour montrer à Samantha un tableau dans un cadre doré, de mauvais goût et qui faisait très bon marché.

— J'ai pensé que nous pourrions mettre ce tableau à cet endroit, dit-il en le plaçant au-dessus de leur lit.

— Oui… commença Samantha qui détestait l'objet.

— Tu n'aimes pas ?

— Es-tu sûr que tu veux le mettre là ?

— Oui, dit Marty. Tu n'es pas d'accord ?

— Marty, répliqua Samantha d'une voix exaspérée. Nous avons toujours tout acheté ensemble.

— Cela ne te plaît pas ? interrompit-il d'une voix qui exprimait la déception.

— Si, si. C'est très joli. Mais si nous devons refaire la décoration de la chambre, j'ai quelques idées moi aussi.

Marty se jeta sur Samantha pour l'embrasser.

— Voilà, dit-il en retrouvant le comportement du Marty qu'elle connaissait. C'est cela un couple. Oui, je me suis un peu énervé. Je veux que tu sois du même avis que moi sur tout. Mais Sam, c'est très important pour moi. Essayons, je t'en prie.

— D'accord, céda-t-elle.

Comment pouvait-elle lui résister alors qu'il lui parlait avec tant de considération ? Et puis, qu'était cet intérêt soudain en comparaison des soucis qu'elle avait ?

Sans dire un mot, Marty se mit à déplacer les meubles dans la pièce en refusant l'aide de Samantha. Il semblait décidé, presque passionné, comme si ses sentiments les plus profonds étaient en jeu. Samantha ne comprenait pas ce qui se passait.

Marty accrocha le cadre à l'endroit exact où il l'avait décidé : c'était affreux, mais il paraissait particulièrement fier de cette décoration. Il déplaça le lit afin de mettre la tête contre le radiateur, ce qui choqua Samantha. Elle était sûre que Marty aussi savait que cela ne se faisait pas, de même qu'il devait savoir aussi qu'il ne faut pas empêcher l'ouverture d'une fenêtre en plaçant un bureau devant. Mais il le fit pourtant. Pourquoi roula-t-il les tapis et les rangea-t-il ? Il était tout à fait impensable qu'un magazine de décoration intérieure ait proposé une telle disposition des meubles dans une pièce.

— Voilà, dit-il lorsqu'il eut fini, le front couvert de sueur. J'aime cela.

Samantha resta silencieuse.

— Qu'en penses-tu ? finit-il par demander.

— Oui, cela se défend.

— Je sais bien que c'est là une disposition originale et que notre chambre n'a pas vraiment la forme adéquate. Mais essayons tout de même. Si tu décides que tu n'aimes pas cela, je remettrai la pièce comme avant.

— D'accord, acquiesça Samantha.

C'était curieux, très curieux.

Elle quitta la pièce pour se replonger dans l'organisation de la soirée.

Marty Shaw s'approcha lentement du lit sur lequel il s'allongea.

Il saisit l'oreiller de Samantha et le serra contre sa poitrine, comme un animal en peluche. Puis il leva la tête. Ses lèvres se mirent à former silencieusement des mots :

— Frankie veut un baiser, murmura-t-il.

6

Le magasin était situé dans la 15e Rue, près de l'Hudson River. Le quartier regorgeait d'entrepôts et de magasins d'importations, et le taxi de Samantha eut du mal à se frayer un chemin à travers les poids lourds qui encombraient la rue pendant les livraisons et les chargements. Samantha se sentit agressée par les klaxons des camions – ce que les gens du quartier avaient surnommé la « symphonie de la 15e Rue ».

Lorsqu'elle vit l'enseigne *Encadrements et Sous-verres SIMON*, Samantha entra dans la boutique : elle reconnut immédiatement l'odeur de la sciure. Le magasin était séparé en deux par une cloison très fine : dans la partie de devant trônaient un bureau de métal et une chaise. Samantha dut agiter la petite cloche car il n'y avait personne. C'était un magasin modeste, mais si Simon pouvait fournir une réponse à sa question délicate, rien d'autre n'aurait d'importance.

Howard Simon était un tout petit homme de presque quatre-vingts ans, avec un minuscule visage qui lui donnait l'air d'un lutin. Il sortit de son atelier en bleu de travail sous lequel il portait une chemise blanche et une cravate rouge. Il était totalement chauve. Il adressa un sourire à Samantha : Simon avait l'habitude en effet de faire des encadrements pour les grands magasins et le matériel lui était toujours envoyé par des coursiers impersonnels. La venue d'une cliente en chair et en os, surtout lorsqu'elle était aussi jolie, était un événement.

— Puis-je vous aider ? demanda Simon en faisant une petite courbette comme dans le temps.

— Oui, répondit Samantha, qui eut immédiatement confiance en cet homme. Je vous ai apporté un diplôme.

— Vous voulez le faire encadrer ?

— Je ne sais pas.

— Vous ne savez pas ? demanda Simon avec une surprise non dissimulée. Je peux peut-être vous aider à prendre votre décision.

— C'est… pour un associé, expliqua Samantha. Mais je voudrais d'abord vous poser une question. Je ne sais pas si ce diplôme est vrai. Il y a peut-être une erreur. Pouvez-vous l'expertiser ?

Samantha était extrêmement gênée, et Simon en était tout à fait conscient : il avait l'habitude de ce genre de problème.

— Puis-je le voir ? demanda-t-il.

Samantha avait transporté le diplôme dans un grand sac.

— Ceci est strictement de vous à moi, n'est-ce pas ? dit-elle en le lui tendant.

— À qui en parlerais-je ? dit Simon. Northwestern, dit-il en examinant le document. Une grande université. Dommage que cette personne n'y soit jamais allée, ajouta-t-il en passant sa main au verso du diplôme.

Samantha se raidit.

— Que voulez-vous dire ? insista-t-elle.

— Ce document est un faux. J'ai vu beaucoup de diplômes de cet institut. Ils sont tous gravés. Vous pouvez sentir les lettres à l'envers. Ce document est imprimé : c'est du travail bon marché, fait probablement dans un de ces magasins spécialisés.

— En êtes-vous sûr ? demanda Samantha.

— Je suis dans le métier depuis soixante ans, madame.

— Merci, murmura Samantha.

Simon vit que ses yeux s'emplissaient de larmes ; cette affirmation était une preuve tellement définitive. Il n'y avait plus de doute maintenant pour Northwestern. Marty n'y était jamais allé.

Sans ajouter un mot, Samantha quitta l'atelier et reprit un taxi pour rentrer chez elle. Ce fut le trajet le plus triste de sa vie. Elle n'avait aucune envie de rentrer retrouver la bonne humeur à toute épreuve de Lynne et le comportement bizarre, incompréhensible de Marty. Il lui avait menti à propos de Northwestern et, elle le pressentait, sur bien d'autres sujets aussi. Il n'était pas le Marty Shaw qu'elle pensait connaître. Il était quelqu'un d'autre, et leur couple n'était pas le rêve qu'elle pensait vivre. Il tournait au cauchemar.

Elle lutta pour ne pas succomber à la panique, pour ne pas s'effondrer. S'il y avait une leçon à tirer des dures années qu'elle avait connues avant de rencontrer Marty, c'était de ne pas sombrer dans le désespoir. Et le mécanisme de défense que les psychiatres appellent le déni de la réalité fonctionnait toujours en elle. Tout en remontant en taxi Central Park West, elle se dit qu'elle avait sûrement oublié de considérer la seule explication logique et honnête qui lui permettrait de sauvegarder son amour et son respect pour Marty. Tant qu'elle n'aurait pas trouvé, ses sentiments, ses craintes et ses espoirs ne pourraient qu'être en conflit.

Lorsqu'elle rentra chez elle, elle prit une décision : elle avait besoin de l'aide d'un spécialiste. Si Marty était malade, elle ne pouvait faire le diagnostic toute seule et un psychiatre lui serait probablement d'une grande utilité. Elle savait à qui s'adresser : elle avait assisté à l'une de ses conférences à New School où elle avait suivi un cours de psychologie. Il lui avait semblé clair, compétent et très chaleureux. Dès qu'elle eut enlevé son manteau, Samantha saisit son téléphone et prit un rendez-vous en urgence avec le Dr Kenneth Levine.

Levine était attaché à l'hôpital de New York mais avait un petit cabinet dans la 66e Rue. Samantha se fit déposer au bout de la rue par le taxi. Les psychiatres la mettaient encore mal à l'aise, sans doute parce que ses parents les décriaient beaucoup, et elle se sentait gênée en leur présence. Elle mit des lunettes fumées et grimpa les marches jusqu'au cabinet.

Vu de près, il lui semblait plus vieux que dans son souvenir. Apparemment âgé d'une soixantaine d'années, il avait les cheveux tout gris et des yeux enfoncés. Il correspondait à l'image du psychiatre, ce qui, d'après Samantha, lui était probablement très utile pour s'attirer la confiance de ses patients. Son bureau était en bois rouge, avec un éclairage indirect qui était agréable et permettait de se détendre facilement. Levine s'assit sur une chaise énorme qui ressemblait à un fauteuil roulant et discuta du cas de Marty avec Samantha.

— Je ne comprends pas, lui dit-elle. C'est un homme honnête. Il est respecté dans le monde des affaires. Et pourtant presque tout ce qu'il m'a raconté est faux. Comment expliquer alors qu'il ait accepté de faire ce voyage ?

— A-t-il une tendance à l'exagération ? demanda Levine.

— Non.

— Il est dans les relations publiques. L'exagération fait partie de son travail.

— Oui, bien sûr, mais il la réserve à la vie professionnelle.

— Avez-vous le sentiment qu'il a besoin de vous impressionner ?

— Pas plus que n'importe qui. Il ne se vante pas. Il ne prétend pas avoir des compétences qu'il n'a pas.

— Je vois, dit Levine en prenant des notes sur un carnet jaune. Avez-vous remarqué des pertes de mémoire ?

— Cela lui arrive de temps en temps, dit Samantha après quelques instants de réflexion.

— Quel genre de pertes de mémoire a-t-il ? Oublie-t-il des choses évidentes comme le nom de parents à lui par exemple ?

— Non, non, pas du tout. Mais il peut oublier de payer une facture ou d'acheter des piles pour son Walkman.

— A-t-il changé depuis que vous êtes mariés ?

— Pas vraiment.

— A-t-il eu des problèmes de santé ?

— Non.

— Des ennuis avec la justice ?

— Quoi ?

— Il est important pour moi de connaître ces détails.

— Il ne m'en a jamais parlé. Mais qu'est-ce que cela prouve ? ajouta-t-elle avec un petit ricancmcnt.

— Marty voit-il un psychiatre ?

— Pas que je sache.

— J'essaie de cerner, expliqua Levine, ce qui pourrait le perturber. Certaines personnes travestissent leur passé par désespoir, par besoin de s'inventer une seconde identité.

— Je comprends, dit Samantha. Mais je ne vois vraiment pas ce qui pourrait le perturber. Il a l'air heureux.

— Il n'a pas changé ?

— Pas depuis que je le connais.

— C'est une question délicate, madame Shaw, mais je voudrais savoir s'il prononce parfois des phrases comme : « J'ai envie de me suicider. »

— Non. Jamais.

— Bien. Au fait, avez-vous parlé de l'histoire du faux diplôme avec lui ?

— Non.

— Ne le faites surtout pas. Il pourrait avoir une réaction bizarre.

L'entretien dura plus de deux heures et épuisa Samantha. Levine avait couvert quarante-deux pages de notes et en relut certains passages avant de donner un avis :

— Vous avez décrit là, madame Shaw, un homme tout à fait normal en tout point à l'exception de son passé inventé et de l'épisode étrange du réagencement de la pièce. Je vous ai dit dès le début qu'il me serait très difficile de faire un diagnostic sans voir Marty. Tout ce que vous venez de me dire confirme ma position. Pour être d'une quelconque utilité, il faut que je parle avec lui.

— Mais docteur, vous venez de me dire de ne pas le confronter au problème !

— C'est vrai, répondit Levine en soupirant. Il ne faut pas lui parler de vos soupçons. Mais il faut le convaincre par un biais ou un autre de venir ici.

— Mais comment ?

— Suggérez-lui par exemple qu'il a l'air un peu surmené par le travail et que cela vous ferait plaisir qu'il consulte un médecin.

Samantha examina un instant cette idée puis secoua la tête.

— Cela ne marchera pas, dit-elle. Marty est le genre « Je m'en sors tout seul ».

— Bien. Je suis désolé, madame Shaw. Pas de Marty, pas de réponse.

Encore une voie sans issue. Samantha ne voyait absolument pas comment elle pourrait convaincre Marty de consulter un psychiatre et se demandait d'ailleurs si Levine pourrait être un tant soit peu utile. Elle préféra rentrer à pied plutôt que de prendre un taxi et réfléchit au problème, tout en traversant Central Park dans la brise légère. Le parc était vide, et son apparence désolée renforça le sentiment d'isolement de Samantha. Elle avait essayé Tom Edwards et Kenneth Levine. Elle avait même tenté d'amorcer un interrogatoire toute seule. Tout cela n'avait rien donné.

Elle en arrivait maintenant à souhaiter n'avoir jamais eu cette idée de fête, n'avoir jamais pensé à retrouver les gens que Marty avait connus dans sa jeunesse. L'ignorance est parfois une bénédiction, se dit-elle. Si elle n'avait jamais su que le passé de Marty était inventé de toutes pièces, elle aurait eu une existence tranquille, une vie de couple heureuse. Qu'avait-elle de plus maintenant qu'elle savait ? « Voilà ce que c'est de vouloir mettre son nez partout », marmonna-t-elle avec une touche de mépris. Elle s'en voulait, en quelque sorte. C'était tout à fait naturel.

Quelques jours plus tard, Samantha vit un psychologue, puis un autre psychiatre. Tous deux confirmèrent ce qu'avait dit Levine : sans voir Marty, ils ne pouvaient rien faire. Samantha abandonna la piste psychiatrique.

Et pourtant Levine avait posé à Samantha une question qui l'avait perturbée : cela lui faisait peur mais elle ne cessait d'y penser. Levine lui avait demandé si Marty avait eu maille à partir avec la justice. C'était une possibilité, elle le savait bien, qui pouvait expliquer qu'il se soit fabriqué un passé.

Elle décida donc de voir un avocat.

Mais lequel consulter ? Elle renonça à aller voir le leur : ce serait trop gênant et, de plus, il connaissait Marty bien avant leur mariage. Il lui fallait un avocat spécialisé dans les affaires criminelles qui avait peut-être déjà rencontré ce genre de problème. Par un après-midi de novembre, un jeudi, Samantha se rendit en taxi à la bibliothèque de New York où elle consulta la presse afin de trouver un avocat qui lui semblât compétent. Si Marty avait des problèmes, il lui fallait gagner le procès. Peu importait ce qu'il avait fait, ce qu'il lui avait raconté, il devait s'en sortir. Elle décida que la personne qui lui convenait était Douglas Grimes.

Grimes avait deux cabinets : l'un luxueux à Wall Street et l'autre, beaucoup plus modeste, dans le quartier ouest de Manhattan. Samantha, qui n'était qu'une femme rencontrant un problème personnel, fut donc reçue dans le second cabinet. Le bureau était minuscule et modestement arrangé de façon à ne pas intimider les clients. Mais sur les murs étaient affichés seize certificats vantant les mérites de Douglas Grimes.

De taille moyenne, bedonnant, il avait retroussé ses manches de chemise, avait le cheveu en bataille et portait des chaussures usées et des bretelles, ce qui lui permettait de ne pas trancher par rapport à ses clients les plus modestes. Il avait ainsi l'air d'être du même milieu qu'eux, du même côté de la barrière.

Il écouta Samantha en la regardant fixement sans dire un mot. Lorsqu'elle eut terminé son récit, il attendit une bonne minute avant de faire un commentaire. Il retira ses lunettes sans monture, s'enfonça dans son siège et posa ses mains sur sa tête comme pour bien signifier qu'il réfléchissait. Puis il la regarda à nouveau longuement pour essayer de voir, du haut de ses vingt ans d'expérience, si elle mentait. Il conclut que ce n'était pas le cas.

— Vous vivez l'un des problèmes les plus difficiles que j'aie jamais rencontrés, lui dit-il. Je ne sais pas comment vous arrivez à supporter cette situation.

— Je l'aime, voilà l'explication, dit-elle.

— Vous êtes un bon témoin de la défense, dit-il avec un rire nerveux. Très compatissante. Mais je m'étonne que vous n'ayez jamais essayé de lui en parler.

— Je ne peux pas. Que se passerait-il s'il avait de bonnes raisons d'agir ainsi ? Je me dis parfois que je me porterais mieux si j'ignorais tout cela.

— Je comprends, dit Grimes en s'appuyant sur le coin de son bureau. Mais vous ne le pensez pas, en fait. Vous voulez connaître la vérité précisément parce que vous l'aimez. Vous avez l'impression qu'il court peut-être un danger. Et c'est pour cela que vous vous êtes adressée à moi.

Samantha admit que Grimes avait raison, qu'elle était prête à tout pardonner, y compris un passé honteux, pourvu qu'elle sache.

— Pensez-vous qu'il ait un problème avec la justice ? demanda-t-elle.

— Impossible à dire, répondit Grimes. Il faudrait faire suivre Marty par un détective privé. Mais cela coûte cher et peut très bien ne pas aboutir. En plus, Marty pourrait s'en apercevoir. Certains de ces détectives ne sont pas très futés.

— Avez-vous déjà rencontré des cas de ce type ?

Grimes eut le petit rire de ceux qui savent par expérience.

— Oh ! Beaucoup, oui. Dissimuler son passé est très banal. Les anciens escrocs font cela tout le temps, tout comme les gens fauchés, ceux qui essaient de se défiler à l'armée, ceux qui veulent éviter les impôts, les alcooliques, les types qui ne veulent pas payer de pension alimentaire.

Samantha grimaça et Grimes perçut sa réaction.

— Je savais que vous réagiriez à cette hypothèse. Les femmes y sont toujours sensibles, dit-il.

Mais Samantha fit un signe de tête virulent :

— Non, Marty ne ferait jamais une chose comme ça. Il…

— C'est quelque chose qu'il vous faut envisager, poursuivit Grimes.

Samantha soupira puis respira profondément. Reste calme, se dit-elle. Il ne faut pas détester ce Grimes sous prétexte qu'il dit des choses désagréables. Il essaie de t'aider.

— Quelles sont les chances pour que ce soit un problème de pension alimentaire ? demanda-t-elle.

— Impossible à dire, dit Grimes avec un haussement d'épaules. Ne tirez pas de conclusion tout de suite. Il y a beaucoup d'autres possibilités. Marty a peut-être fait quelque chose d'héroïque.

— Par exemple ?

— Il a peut-être attrapé un criminel.

Grimes essayait maintenant de construire un scénario agréable à son client.

— Il craint peut-être une vengeance et s'est forgé une nouvelle identité pour se protéger. Le gouvernement prévoit ce genre de disposition, le saviez-vous ?

— Comment peut-on en être sûr ?

— C'est impossible. De toute évidence, il n'utilise pas son véritable nom. À qui pouvons-nous demander ? Comment savoir ?

— Et si j'allais trouver la police ?

Grimes se leva pour remettre droit un certificat de l'Union des citoyens. Il pesa ses mots avant de répondre :

— Tout dépend de la situation exacte de Marty. Vous risquez de l'envoyer en prison si vous mettez la police sur une piste. Mais s'il a un problème mental, s'il souffre d'amnésie ou d'une maladie de ce type, vous lui rendrez service. Je pense qu'il est inutile d'aller voir les flics : ils ont des cas bien plus délicats à résoudre.

Samantha comprit que cette entrevue ne la mènerait nulle part. Des théories, encore des théories, qui lui coûtaient très cher. Elle en arriva à la conclusion toute simple, et qu'elle refusait de toutes ses forces, qu'il fallait parler ouvertement de cela avec Marty.

— Pouvez-vous me donner un conseil sur le plan juridique ? demanda-t-elle finalement à Grimes.

— Bien sûr. Si votre mari fait quelque chose de bizarre, ne vous en mêlez pas. Vous pourriez être accusée de complicité, même si vous juriez ne pas avoir été au courant. S'il a un comportement étrange, appelez-moi.

— Qu'entendez-vous par « étrange » ?

— Tout ce qui pourrait laisser supposer un gain financier soudain. S'il vous propose un voyage exorbitant, n'y allez pas. Il le fait peut-être avec un argent gagné malhonnêtement. S'il vous fait un cadeau démesuré, dites-lui que vous êtes gênée d'accepter et appelez-moi.

Puis Grimes s'approcha de Samantha et la regarda droit dans les yeux.

— Si vous découvrez une arme dans la maison, téléphonez-moi immédiatement. Si vous découvrez des factures de téléphone inexplicables… dites-le-moi. Vous sentirez bien si quelque chose d'inhabituel se passe. Les femmes sentent toujours ces choses-là. Vous avez de l'intuition.

Ils se séparèrent sur ces mots. Samantha rentra chez elle en taxi. Elle ne savait plus quoi faire.

Lorsqu'elle arriva, elle salua amicalement le portier qui était là depuis trente-cinq ans et s'acquittait toujours de sa tâche avec l'air d'un homme fier de ce qu'il fait.

— Eh ! madame Shaw, dit-il à Samantha. Il y a un paquet.

— Pour moi ?

— Je crois que c'est pour M. Shaw.

Samantha suivit Al jusqu'à la loge : il lui tendit un petit paquet enveloppé dans du papier marron. Il était adressé à Marty, et ne portait pas l'adresse de l'expéditeur. Samantha le regarda, le palpa et prit peur. Pourquoi avait-elle peur ? Ce n'était qu'un paquet. Un paquet tout simple, sans aucune mention de l'expéditeur ; Grimes l'avait mise en garde contre les armes et ce type de choses.

— Merci, Al, dit-elle mécaniquement avant de se diriger vers l'ascenseur.

Une fois dans l'appartement, Samantha posa le paquet sur la table de la cuisine. Elle le regarda pendant deux bonnes minutes. Elle n'avait jamais ouvert le courrier de Marty : son père lui avait toujours dit que, même après des années de vie commune, le courrier était personnel. Elle repensa aux films d'espionnage où les personnages ouvrent des paquets puis les referment sans que personne s'en aperçoive. Pouvait-elle faire cela ? C'était contraire à sa nature. Et pourtant, il fallait qu'elle le fasse. Les soupçons, les craintes, la peur s'emparaient d'elle et prenaient le pas sur ses tendances naturelles.

Elle ouvrit le paquet avec soin.

Une boîte se trouvait à l'intérieur, une boîte toute simple. Samantha s'apprêta à l'ouvrir, puis hésita. Que contenait-elle ? Une arme ? De l'argent ? Une bombe ?

Elle souleva le couvercle et regarda à l'intérieur.

Elle tâta le contenu et ne sentit rien de spécial. À l'intérieur de la boîte se trouvait un livre, avec un petit mot. C'était un cadeau d'anniversaire envoyé avant la date par un ami de Marty qui ne pouvait pas venir à la soirée. Le livre s'intitulait *Histoire de la presse américaine* et était écrit par un professeur de Medill. Ironie du sort, se dit Samantha.

Elle refit le paquet à la perfection. Quelques minutes plus tard, le téléphone sonna. C'était Grimes. Le cœur de Samantha se mit à battre à toute allure. Avait-il trouvé quelque chose ? Avait-il obtenu des renseignements ? S'il appelait, il avait probablement du nouveau.

— J'ai repensé à votre histoire, lui dit-il.

Samantha fut déçue.

— Vous savez, vous ne trouverez peut-être rien du tout, reprit-il.

— Oui, j'en suis consciente.

— Et cela vous brisera. Je me demandais si vous n'auriez pas intérêt à éliminer le problème à la base.

Éliminer ? Samantha sentit ses nerfs la lâcher. Le langage de Grimes était totalement inapproprié à ce type de problème familial.

— Que voulez-vous dire ? demanda-t-elle en gardant son calme.

— Je veux parler du divorce.

— Non.

— D'accord, vous êtes la cliente. Mais vous ne pourrez pas toujours dire non. Pensez-y. Cette situation est dangereuse pour vous.

Samantha n'en voulait guère à Grimes pour sa suggestion. Elle lui en était même reconnaissante. Oui, elle pourrait divorcer si la situation s'aggravait. Son cœur refusait cette solution que la raison finirait peut-être par imposer. Certes, elle refusait d'envisager cette éventualité sérieusement : tout allait s'arranger. Même après le coup de téléphone, elle essayait encore de s'en convaincre. Le cauchemar serait bientôt fini. Marty allait s'en sortir.

Mais peut-être…

Le doute s'installa en elle. Elle n'avait pas de stratégie et se jeta corps et âme dans les préparatifs d'une soirée organisée en l'honneur d'un homme qu'elle ne connaissait pas, mais cela lui permettait au moins d'échapper au mystère.

Quatre jours après sa visite à Grimes, Marty rapporta les trains électriques. Samantha n'en crut pas ses yeux. Un adulte qui joue au petit train ? Dans un appartement, en pleine ville ? Sans enfant ? Mais Marty expliqua très bien cela :

— Je n'en ai jamais eu quand j'étais petit, dit-il sur un ton enfantin. Ils sont très beaux. Beaucoup d'hommes en ont. Il y a même des clubs dans le monde entier.

Samantha n'était guère convaincue.

— Regarde, poursuivit-il. Je vais les mettre sur un plateau pour que tu puisses les transporter dans le placard. Tu verras, tu finiras par les apprécier.

Samantha eut la tentation de parler du bébé à Marty ; puis elle se ravisa. Elle avait trop de doutes.

— Oui, je suppose que cela ira, finit-elle par dire.

— Cela me détend beaucoup, expliqua-t-il avant de lui dire qu'il achetait des trains d'occasion car il préférait les vieux modèles.

— Mais tu n'achètes rien d'occasion ! protesta-t-elle.

— C'est différent. Comprends que c'est une collection. Regarde la locomotive Lionel : elle est superbe.

Étrange, se dit-elle, mais pas suffisamment pour appeler Douglas Grimes. Samantha ne voyait d'ailleurs aucun lien entre les trains et le passé mystérieux de Marty. Peut-être faisait-il juste la collection des vieilles machines ? Qu'y avait-il de grave à cela ? Laissons-le jouer s'il en a envie. Samantha était prête à accepter cette excentricité venant d'un homme surmené par le travail.

Tom Edwards vint aider Marty à les installer dans le salon : ils y jouèrent un certain temps, puis Tom rentra chez lui et laissa Marty les faire fonctionner tout seul. Samantha le regarda de loin, observa son visage, la fascination qui se lisait dans ses yeux.

— Je ne t'ai jamais vu aussi heureux, lui dit-elle.

Il ne répondit pas. Il n'était même pas conscient de sa présence. Oui, les hommes se passionnaient souvent pour ce genre de choses : le football, les romans policiers. Cela arrivait. Elle se convainquit de ne pas en prendre ombrage.

— Puis-je les mettre en marche ? demanda-t-elle.

Marty leva les yeux vers elle, l'air sévère.

— Tu es sûre que tu en as envie ?

— Oui.

Mais Frankie ne l'aurait pas laissée, n'est-ce pas ? Marty savait que Frankie aurait refusé, mais il savait aussi qu'il devait éviter d'éveiller ses soupçons.

— D'accord, dit-il. Vas-y. Je vais faire de toi un petit mécanicien. Mais je ne te les prête que pour quelques minutes. Nous les gosses, on aime bien jouer, pas vrai ? dit-il avec un clin d'œil.

Samantha s'assit par terre près de Marty qui lui prit gentiment la main pour la placer sur le moteur de l'énorme locomotive qui était le centre de commande du train. Elle mesura le ridicule de la situation. Il lui demanda d'appuyer sur le bouton du klaxon et elle ne put qu'obtempérer. Et si les voisins entendaient ? Si Lynne entendait ?

Elle lui rendit la locomotive et s'aperçut à ce moment-là qu'un peu de graisse avait taché le tapis : elle en fut contrariée. Comment Marty avait-il pu être aussi négligent ? Lui qui était soigneux pour tout, si ordonné ! Qu'est-ce que ces trains représentaient donc de si important pour lui permettre d'accepter une tache sur un beau tapis sans un mot ? Peut-être ces trains étaient-ils plus qu'une simple marotte de collectionneur. Peut-être exprimaient-ils quelque chose que Marty voulait garder pour lui ? Samantha n'avait aucun moyen de découvrir la clé de ce mystère.

Pendant les jours suivants, elle tenta de mettre en place une stratégie pour résoudre l'énigme. Elle ne cessait de penser à la police, passant son temps à énoncer dans sa tête les arguments contre cette solution tout en se laissant guider par son instinct qui lui soufflait que c'était la seule issue. Qui pouvait savoir ? La vie de Samantha commençait à prendre l'allure d'une suite de devinettes et de jeux de hasard.

Lynne vint l'aider pour les préparatifs.

— As-tu déjà été au commissariat du quartier ? lui demanda Samantha.

— Pourquoi ? dit Lynne, surprise par la question.

— Un type m'a ennuyée ce matin.

— Ce type avec un drôle de blouson ?

— Euh… Non. Il ne portait pas de blouson. Il avait une veste de cuir noire et un pull vert dessous. Je voudrais bien porter plainte mais je ne suis jamais allée dans un commissariat.

— Ce n'est quand même pas Chicago ! dit-elle en riant. Moi, je suis déjà allée au commissariat. Ce type t'a vraiment embêtée ? ajouta-t-elle en remarquant l'air grave de Samantha.

— Non, il s'est contenté de faire quelques commentaires. Je pense qu'il était ivre. Mais il m'a fait peur.

— Écoute, ils sont très gentils là-bas. Si tu veux, je viendrai avec toi.

— Je vais y réfléchir, répondit Samantha.

7

Un homme attendait que Samantha Shaw décide de prendre contact avec la police. Et pourtant ces deux personnes ignoraient totalement leur existence mutuelle.

Au siège central de la police de New York, Spencer Cross-Wade jeta un coup d'œil à son calendrier et se sentit envahi par un sentiment de dégoût qui s'ajoutait à la frustration qu'il éprouvait depuis qu'il était sur cette affaire. Plus que trois semaines jusqu'au 5 décembre. Trois semaines pour assembler les morceaux de cet horrible puzzle. Trois semaines pour éviter une nouvelle tragédie. Pour couronner une carrière qui se terminait. Il avait entouré la date au marqueur noir, dont la couleur même semblait augurer du dénouement. Quelle chance avait-il de trouver la clé ? Quel rebondissement allait-il encore y avoir ? Son métier était de résoudre des énigmes, mais il savait, dans le cas présent, qu'il fallait être réaliste.

Petit, chauve, la soixantaine, Spencer Cross-Wade avait plus l'allure Scotland Yard que celle de la police new-yorkaise. Son père avait travaillé pour la police londonienne, comme son grand-père. Mais Spencer était venu aux États-Unis avec la marine britannique pendant la Seconde Guerre mondiale, avait épousé une Américaine et était resté là. Sa femme était morte en 1955 ; le couple n'avait pas eu d'enfants. Cross-Wade ne s'était jamais remarié. Il vivait seul dans un petit appartement de Brooklyn donnant sur l'East River, toujours plongé dans ses souvenirs, au milieu de ses reliques anglaises, faisant des projets de voyage pour sa retraite.

Son bureau était simple : une table d'acier, des murs gris, quelques chaises pour les visites et, pour égayer la pièce, un bouquet de fleurs qu'il remplaçait régulièrement. « Tout homme devrait avoir un jardin », disait-il à ses collaborateurs avec un clin d'œil. C'était typiquement britannique, l'un de ces petits efforts qu'il faisait pour introduire l'amabilité de Scotland Yard dans la rudesse de la police new-yorkaise.

Son interphone sonna : il appuya sur le bouton rouge. C'était Sally, la standardiste du bureau des homicides.

— Le détective Loggins veut vous voir.

— Bien, dit Cross-Wade. Je l'attendais. Je viens le chercher.

Arthur attendait à la réception, plongé dans la lecture des pages sportives du *New York Post*.

— Arthur, s'exclama Cross-Wade, refusant d'utiliser le diminutif Arty sous lequel Loggins était connu depuis quarante-deux ans. Entre. J'ai besoin de toi.

Loggins, lourdaud, la démarche gauche, triste, mais bien connu pour avoir un œil exercé de détective, suivit Cross-Wade dans son bureau.

— Excusez-moi pour mon retard, dit-il de son ton monotone habituel. J'ai dû en terminer avec une affaire.

— Il faut toujours terminer, pontifia Cross-Wade. Un policier doit toujours terminer. J'admire cette qualité. Au Yard, les inspecteurs s'occupent des affaires du début à la fin. Alors, ne vous excusez jamais d'avoir terminé, pas avec moi.

— Bien, monsieur, répondit Loggins qui ne s'attendait pas à une telle leçon de sagesse policière.

Il hâta le pas pour rattraper Cross-Wade.

— Avez-vous la main verte ?

— Non, monsieur, répondit Loggins. Ma femme, elle, a quelques plantes vertes dans la maison. Mais moi, il n'y a que le foot.

— Je vois. Pourtant le jardinage donne à l'homme l'impression qu'il est créatif, disserta Cross-Wade. Mais je suppose qu'il y a un certain mérite à regarder vingt-deux hommes qui se bousculent sur un terrain.

Il lui fit un clin d'œil, incertain, comme toujours, de voir ses plaisanteries bien comprises par ses hommes.

— Bien. Vous passez sous mes ordres pour une affaire qui ne doit pas s'ébruiter hors de cette pièce et dans la presse. C'est clair ?

— Oui, monsieur, dit Loggins, tout impressionné d'avoir été mis sur une affaire aussi confidentielle.

— Il faut rester discret pour éviter une psychose. Vous avez été choisi parce que vous êtes un détective consciencieux.

— Merci pour le compliment, dit Loggins.

Cross-Wade s'extirpa de son siège pour lui montrer la date du 5 décembre sur son calendrier.

— Voici la clé du mystère. Cette date est notre cible et notre cauchemar. Si nous ne procédons pas à une arrestation avant ce jour, une femme mourra. J'espère que vous saisissez la gravité de la situation.

— Tout à fait, monsieur. Je sors juste d'une affaire de meurtre.

— Il s'agit là d'un meurtre en série, poursuivit Cross-Wade. Apparemment, tous les 5 décembre depuis six ans, une femme est assassinée de la même façon quelque part en Amérique du Nord. Elles ont toutes été frappées sur la tête avec un instrument tranchant avant d'être étranglées avec une chaîne.

— Les victimes ont-elles quelque chose en commun ? demanda Loggins.

— Oui, dit Cross-Wade. Elles avaient toutes de longs cheveux châtains tombant sur les épaules.

— Rien d'autre ?

— Pas que nous sachions.

— Des témoins ?

— Oui, pour quelques-uns des meurtres : ils ont vu un homme costaud dans les parages mais personne n'a pu en faire une description détaillée. La police du lieu a essayé l'hypnose, le détecteur de mensonge, tout ce qui est utilisé habituellement par Scotland Yard et par nous. Mais il n'en est rien sorti.

— Vous avez dit en Amérique du Nord, monsieur ? Je me demande…

— J'y venais, Arthur. Les trois derniers crimes ont eu lieu à New York ou dans la proche banlieue, ce qui explique que nous soyons chargés de l'affaire. Nous pensons qu'une femme sera tuée le 5 décembre.

— Pas de suspect ?

— Aucun. Mais nous avons quelques détails sur l'assassin. La date est probablement la clé du mystère :

j'ai donc fait vérifier les archives de tous les 5 décembre depuis cinq ans.

Cross-Wade alla chercher un dossier vert dans son bureau.

— Les résultats sont remarquables. Lisez-les, je vous en prie, dit-il en tendant la chemise à Loggins. J'ai également consulté des psychologues. Une question, Arthur. Avez-vous déjà entendu parler de la « schizophrénie des anniversaires » ?

— Non, monsieur.

— Eh bien, vous allez en entendre parler beaucoup. J'appelle cela la « schizophrénie à date fixe ». Tout est expliqué dans le dossier. Lisez-le et revenez me voir.

Loggins quitta le bureau. Cross-Wade se dit que la nomination d'un collaborateur, pour compétent qu'il fût, ne le rapprocherait pas du but. Connaître le motif probable, la date exacte du prochain meurtre et les caractéristiques physiques de la victime sans pouvoir identifier l'assassin, c'était là la plus grande frustration de sa carrière.

Samantha avait commis une erreur. Une erreur grave et inexcusable.

Elle avait oublié que tous les coups de téléphone qu'elle avait donnés pour mener son enquête sur le passé de Marty seraient portés sur la note du téléphone. La facture arriva un samedi, jour où Marty était à la maison et, c'était bien là la malchance de Samantha, il alla lui-même chercher le courrier.

Il remarqua immédiatement : Northwestern, Elkhart, Washington. Que diable faisait-elle ? Pourquoi avait-elle donné ces coups de téléphone ? Marty resta un instant appuyé contre le mur de marbre dans l'entrée de l'immeuble en considérant cette facture comme un casse-tête chinois. Samantha soupçonnait-elle quelque chose ? Avait-elle été prévenue ?

Il ne pouvait pas l'interroger à propos de ces coups de fil. La question serait déjà bizarre en soi. Il se contenta de payer la facture sans la lui montrer, en espérant qu'elle ne s'apercevrait pas de sa disparition.

Mais il était inquiet, ce qui était contraire à ses habitudes. Il avait toujours contrôlé parfaitement la situation sans jamais craindre d'être soupçonné. Mais maintenant ces coups de téléphone étaient incontrôlables. C'était l'année la plus importante et tout risquait d'être gâché.

Il partit pour une autre mission secrète le lundi suivant : il se rendit à Wall Street, non dans une société de courtage ou dans une banque, mais dans l'un des plus grands magasins de cartes de Manhattan. Ce magasin détonnait dans le quartier, mais son propriétaire avait misé sur le fait que les hommes d'affaires avaient toujours des cartes à envoyer. Puisqu'il existait une carte pour chaque événement, la boutique tournait toute l'année.

Marty regarda la vendeuse qui portait une robe à pois et sut au premier coup d'œil qu'elle connaissait le contenu de son magasin par cœur.

— Puis-je vous aider ?

— Oui, dit Marty. Je cherche des cartes pour des clients bien particuliers. Des cartes précises.

— Nous les avons sûrement.

Marty sortit une liste de la poche de son veston.

— Je cherche une carte d'anniversaire avec un cheval pour un petit garçon.

— Nous avons plusieurs modèles avec un cheval, dit-elle en remettant sur son nez ses lunettes qui pendaient au bout d'une chaîne.

— Un cheval marron si vous avez.

— Nous avons cela.

— Je voudrais aussi une carte avec un petit voilier.

— Pour un événement précis ?

— Non. Une carte sans précision.

— Cela ne sera pas très difficile. Les voiliers marchent très bien. J'en ai même un avec une voile en tissu. Voulez-vous voir cette carte ? Elle coûte trois dollars.

— Non, merci. Une carte normale, répondit Marty. Je voudrais aussi une carte de Noël montrant Joseph et Marie en train de prier.

— Classique.

— Et une carte de départ à la retraite avec un paysan.

— Ah, dit la vendeuse après un instant de réflexion, les paysans ne sont pas très demandés par ici. Voudriez-vous des fleurs ?

— Non.

Marty se rendit compte qu'il avait répondu sèchement et se ravisa.

— Je suis sûr que ce serait très beau, mais cet homme qui vient juste de prendre sa retraite a acheté une ferme et…

— Voudriez-vous un paysage avec du bétail ?

Cela irait-il ? Cela serait-il conforme aux exigences du rituel ? Oncle Fred en aurait-il été content ?

— Bien, je la prends, dit Marty en espérant que la carte ferait l'affaire.

Puis il lui demanda six autres cartes qui figuraient sur la liste. La vendeuse lui donna satisfaction ou parvint à trouver des articles approchants. C'était la première fois qu'il trouvait tout dans le même magasin.

Marty emporta les cartes dans son bureau, où il s'enferma. Puis il les sortit une par une et écrivit *Affectueusement, Frankie* sur chacune d'elles. L'une était destinée à Jim et Greta Carman, l'autre à oncle Fred et tante Mil. Certaines étaient adressées à des parents, d'autres à des amis. Mais les adresses étaient incomplètes, puisqu'elles ne portaient ni le nom de l'État ni le code postal. Elles ne seraient jamais postées, il le savait bien, mais c'était le rituel, et c'était important.

Le lendemain, il se rendit en taxi entre la 116e Rue et Broadway, dans le quartier de Columbia. Cela ne faisait pas partie du rituel. Cette démarche s'inscrivait dans la réalité. Personne ne risquait de le reconnaître ici : les gens qu'il connaissait n'avaient aucune raison de se trouver dans ce quartier. Il se mêla à la foule disparate et se dirigea vers l'agence de voyages Radius située au second étage d'un vieil immeuble, au-dessus d'un magasin d'appareils photo : sur la fenêtre étaient affichées les publicités habituelles proposant des voyages bon marché en Espagne, à Porto Rico, au Brésil et au Pérou, qui correspondaient aux goûts de la population locale.

Il monta les marches de bois en bousculant un jeune drogué. La porte de Radius était entrouverte, ce qui était inhabituel dans ce quartier où tout était en général verrouillé à double tour. À l'intérieur, l'agence ressemblait à n'importe quelle autre, avec des rangées de bureaux recouverts de papiers, d'horaires, de messages et de lettres. Ann Sherman, étudiante spécialisée en histoire chinoise qui travaillait chez Radius à temps partiel, interpella Marty.

— Puis-je vous aider ? lui demanda-t-elle en lui faisant signe de s'approcher de son bureau.

— Oui, dit-il en pensant qu'il lui fallait éviter de prendre l'allure du jeune cadre dans ce quartier. Je voudrais un billet pour Rome.

— Bien sûr, dit Ann en prenant un gros livre noir qui contenait tous les horaires d'avion. Vous voulez un aller-retour ?

— Oui.

C'était faux mais acheter un aller simple aurait pu éveiller des soupçons.

— Pour vous ?

— Oui, pour une personne.

— Bien. Quand voulez-vous partir ?

— Le 6 décembre au matin.

Cette date lui donna le frisson.

— Le matin impérativement ?

— Oui, j'ai une journée chargée.

— Et vous voulez rentrer le… ?

— Le 18 décembre.

— Dommage que vous ne puissiez pas passer Noël à Rome. C'est merveilleux.

— Je sais, dit Marty, mais c'est impossible cette année.

— Si vous acceptiez de rentrer deux jours plus tard, je pourrais vous proposer un billet moins cher.

— Beaucoup moins cher ?

— Environ deux cents dollars.

— Non, je ne crois pas que je peux me permettre de perdre ces deux jours.

— Bien. Vous voulez un vol sans escale, je suppose ?

— Oui, bien sûr.

— Le vol Alitalia part à 9 h 20 du matin et arrive à Rome à 23 h 30.

— Parfait.

— Voulez-vous une réservation d'hôtel ?

— Non, merci.

— Bien. Je vais réserver votre retour. Votre nom, monsieur, s'il vous plaît ?

— Steele, dit Marty. Elliot Steele.

Il avait un faux passeport à ce nom et tous les papiers d'identité nécessaires produits par la même personne de San Francisco qui lui avait établi tous les documents au nom de Martin Everett Shaw dix-huit ans plus tôt.

Il donna à Ann le numéro d'un répondeur téléphonique qu'il avait loué, au nom de Steele, pour le mois de décembre.

La tension était trop forte pour Samantha.

Elle arpentait le salon en se demandant ce qu'elle allait pouvoir faire pour approfondir son enquête sur le passé de Marty. Tout à coup, elle se sentit mal. Rien de grave, se dit-elle. Probablement les nausées matinales qui commençaient. Mais elle avait du mal à respirer et prit peur. Contrôle-toi, s'ordonna-t-elle. Elle tituba jusqu'au téléphone et appela Lynne.

— Lynne... J'étouffe, dit-elle avant de s'effondrer sur le sol.

Il fallut six minutes au gardien pour ouvrir la porte à Lynne. Samantha avait perdu connaissance mais respirait. Un quart d'heure plus tard, une ambulance se garait devant l'immeuble.

Deux infirmiers en sortirent munis de leurs trousses, d'un masque à oxygène et de divers instruments.

— Que s'est-il passé ? demanda l'un d'entre eux à Lynne.

— Je ne sais pas, répondit celle-ci, presque intimidée. Elle étouffait.

Samantha avait un teint correct, une respiration relativement régulière. Elle ne semblait plus étouffer. Le second infirmier sortit son stéthoscope et ausculta son cœur : normal.

— A-t-elle eu des problèmes cardiaques ?

— Je ne sais pas, répondit Lynne. Je suis une amie.

Ils ranimèrent Samantha en lui faisant respirer des sels et en la massant. Elle ouvrit les yeux, jeta un regard circulaire effrayé qui se posa sur Lynne.

— Je suis désolée, dit-elle.

— Désolée ? Moi, je suis contente que tu t'en sois tirée.

— J'ai perdu le souffle. J'espère seulement...

Instinctivement, elle posa sa main sur son ventre.

— Allons à l'hôpital, dit Lynne.

— Non, répondit Samantha avec fermeté.

Lynne en fut étonnée mais ne parvint pas à la convaincre.

— Je vais me reposer, reprit Samantha.

Elle ne voulait pas aller à l'hôpital, et elle ne voulait surtout pas que Marty soit au courant.

— Cela l'inquiéterait, et il saurait pour le bébé.

Elle gardait les mêmes sentiments affectueux qu'avant, malgré sa souffrance et ses difficultés.

— C'était juste un malaise, ajouta-t-elle. Peut-être une intoxication alimentaire.

Elle accepta de voir le Dr Fromer, qui la reçut immédiatement. Il l'examina pendant que Lynne attendait à côté.

— Bien, dit-il. Vous n'avez rien de particulier. Aucune complication dans le déroulement de la grossesse.

Il vit Samantha se détendre.

— Mais soyez franche, poursuivit-il. Qu'est-ce qui, selon vous, a causé cet évanouissement ?

— Je ne sais pas, dit Samantha.

— Vous avez bu ?

— Non, vous savez bien.

— Vous avez pris d'autres substances ? Vous voyez ce que je veux dire.

— Je ne toucherai jamais à ce genre de choses !

— Bien sûr, dit Fromer avec un sourire chaleureux. Vous n'y toucheriez pas en temps normal. Mais les situations peuvent changer. La dernière fois que vous êtes venue, vous m'avez dit être surmenée. Vous semblez encore plus fatiguée aujourd'hui.

Samantha eut un haussement d'épaules. Elle avait envie de se laisser aller à la confidence sans pourtant se résoudre à dévoiler son secret.

— C'est peut-être la grossesse, dit-elle.

— Je ne pense pas.

Fromer avait vu trop de femmes en proie à des problèmes personnels pour la croire.

— Je vais vous répéter ce que je vous ai dit la dernière fois que je vous ai vue. Consultez un conseiller conjugal si vous avez un problème quelconque. Ce genre d'incident pourrait nuire au bébé, je dois être très clair à ce sujet.

Samantha le regarda pendant quelques instants sans mot dire. Elle comprit tout d'un coup que la crise qu'elle traversait pourrait affecter la santé, peut-être même la vie, d'une autre personne. Elle n'avait encore jamais pensé à cela.

— Merci, dit-elle avec douceur. Je désire vraiment avoir ce bébé.

8

— Mon dieu ! dit Loggins en entrant dans le bureau de Cross-Wade avec le dossier sur la « schizophrénie à date fixe ». C'est horrible.

— Oui, répondit Cross-Wade. Et nous n'avons rien de nouveau. Avez-vous des lumières, Arthur ?

— Non, monsieur. Nous naviguons en eaux troubles. Seuls les crimes passés pourront nous donner des indications.

— Exactement.

— Mais ce n'est pas grand-chose.

— J'envisage un changement de stratégie, dit Cross-Wade. Jusqu'à maintenant, j'ai refusé de dévoiler cette affaire pour éviter une psychose collective. Mais si nous lançons un appel à toutes les femmes qui ont de longs cheveux châtains, et elles sont des milliers, nous parviendrons peut-être à effrayer le meurtrier. Et l'une de ces femmes pourra peut-être trouver des indices dans son entourage.

Loggins haussa les épaules, sceptique quant à cette proposition.

— D'un autre côté, poursuivit Cross-Wade, si l'assassin frappe à nouveau, nous aurons publiquement l'air impuissants. Et puis cela pourrait l'encourager, et peut-être même en encourager d'autres. Si nous faisons cela, nous prenons un risque.

Cross-Wade finit par se rallier à Loggins.

— Non, dit-il. Je ne vais pas lancer un avis public.

On n'était plus qu'à dix-sept jours du 5 décembre.

Samantha ne prit que quelques jours de repos après son évanouissement. Elle en était arrivée à une conclusion très ferme : elle devait s'ouvrir aux amis proches de Marty pour résoudre le mystère de son passé. Rien d'autre ne semblait marcher et attendre un bébé la poussait à poursuivre l'investigation. Que ferait-elle si les questions qu'elle se posait à propos de Marty étaient toujours sans réponse au moment de la naissance ? Comment pourrait-elle entrer dans la salle d'accouchement sans savoir qui était vraiment son mari et ce qui se passait dans sa tête ? Et si la vérité avait des conséquences sur la vie de son enfant ?

Elle prit donc contact avec quelques-unes des relations de Marty et se contenta de leur dire qu'elle avait quelques doutes sur certains points du passé de son mari. Mais elle n'eut que haussements d'épaules et insinuations suggérant qu'elle avait peut-être mal compris ce que Marty lui avait raconté de son passé. Elle eut la très nette impression qu'aucun d'entre eux ne voulait se mêler des affaires privées d'autrui.

Elle pensa donc à Tom Edwards. Certes, elle l'avait déjà appelé mais ne lui avait pas tout raconté et ne lui avait pas dit combien le problème était sérieux. Elle avait toujours autant de réticences à s'ouvrir à Tom par peur de nuire à leur amitié. Mais s'il y avait une personne qui pouvait l'aider, c'était bien Tom Edwards. Personne ne connaissait mieux Marty, ses réactions, sa façon de penser. Samantha l'appela pour lui proposer de déjeuner avec elle, lui expliquant que c'était au sujet de Marty et que c'était important.

— Il est malade ? demanda Tom avec inquiétude.

— C'est possible, répondit Samantha en essayant de l'alarmer le plus possible.

Il faut l'ébranler, se dit-elle, le préparer.

Ils convinrent de se retrouver dans un petit restaurant chinois qui se trouvait près du bureau de Tom. Ils s'installèrent dans un coin tranquille, loin de tout passage.

Tom perçut l'inquiétude de Samantha au premier coup d'œil. Elle avait un regard absent, dont toute flamme avait disparu. Sa douceur naturelle avait cédé la place à une tension qui l'inquiéta immédiatement. Il lui offrit un verre et aborda sans plus attendre le sujet :

— Qu'y a-t-il ? Parlez-moi franchement.

— Je n'ai aucune certitude, dit-elle sans retirer son gros manteau.

— Marty va-t-il mourir ?

— Non, non, ce n'est pas du tout le problème.

— Mais vous m'avez dit qu'il était peut-être malade.

Samantha hésita un instant : cela faisait mélodramatique mais il fallait continuer sur cette voie, car cela reflétait bien son état d'âme.

— Oui, mais pas ce genre de maladie. Tom, avant toute chose, répondez à quelques questions.

— Allez-y, dit-il en faisant signe au garçon.

— Où Marty a-t-il fait ses études ?

— Eh bien, à Northwestern, vous le savez, répondit-il d'un air surpris.

— Je pensais savoir.

— Continuez.

— Où a-t-il fait ses études secondaires ?

— À Elkhart, dans l'Indiana, dit-il en la regardant à nouveau bizarrement.

— Comment le savez-vous ?

— Que voulez-vous dire, comment je le sais ?

— Tom, je vous en prie !

— Mais c'est lui qui me l'a dit, Sam !

— Et l'école primaire ?

— À Elkhart aussi.

— Et dans quelle armée était-il ?

— Dans l'armée de terre.

— Vous êtes sûr ?

— Tout à fait sûr, Sam. Vous m'avez déjà appelé il y a quelques semaines à propos des anciens amis de Marty. C'est encore le même problème ?

— En êtes-vous absolument sûr, Tom ?

— Oui.

— Mais comment le savez-vous ?

— Je vous l'ai déjà dit : je tiens tout cela de lui.

— Tom, y a-t-il certains détails de la vie de Marty que vous ayez appris directement ?

— Directement ?

— Sans que ce soit lui qui vous en ait parlé.

— Non.

— Je vois.

— Sam, que se passe-t-il ? Dites-moi franchement.

Samantha jeta un coup d'œil dans la salle, comme si les clients anonymes du restaurant pouvaient être intéressés. Puis elle se pencha en avant pour être sûre que Tom entendait bien ce qu'elle avait à lui dire.

— Tom, dit-elle avec un calme retrouvé soudainement. J'ai voulu contacter les anciens amis de Marty pour la soirée : j'ai appelé Northwestern, Elkhart, l'armée.

— C'est une bonne idée.

— Non, ce n'était pas une bonne idée, Tom. Marty n'est jamais allé à Northwestern ni à Elkhart.

Tom était époustouflé, les yeux mi-clos.

— Ce n'est pas possible.

— J'ai vérifié plusieurs fois. Il y a bien eu un Martin Shaw dans l'armée mais il est mort.

Tom regarda Samantha sans réagir.

— Je ne peux pas le croire, finit-il par dire.

— Moi non plus, je n'y ai pas cru tout de suite. Mais j'ai fait vérifier le diplôme de Marty : c'est un faux.

Tom respira profondément, incapable de dissimuler une tension qui était tout à fait inhabituelle chez lui.

— Commandons, dit-il pour gagner du temps.

Ils choisirent des plats simples ; les quelques mots qu'ils échangèrent avec le garçon dissipèrent légèrement l'électricité ambiante. Puis Tom entra dans le vif du sujet.

— Peut-être avez-vous négligé certains détails ?

— Par exemple ?

— Le diplôme de Marty est peut-être une photocopie. Il est très courant de demander un duplicata lorsque l'on a perdu l'original.

— Mais il n'y a aucune trace de Marty à Northwestern… ni ailleurs. L'école d'Elkhart n'a aucun dossier à son nom ni de photo de classe de lui. Marty semble n'avoir pas de passé.

— On dirait un film hollywoodien, Sam.
— Personne ne pourrait imaginer un scénario pareil.
— Vous avez tout vérifié ?
— Tout.

Tom s'enfonça dans son siège et se rendit à l'évidence.

— Je comprends maintenant pourquoi vous m'avez dit tout à l'heure que Marty était peut-être malade ; vous vouliez parler de maladie mentale.
— Oui, dit Samantha d'une voix basse.

Un silence de mauvais augure s'installa puis, contre toute attente, un large sourire vint illuminer le visage de Tom.

— Vous savez quelque chose, poursuivit-elle dans l'espoir que Tom aurait la réponse.
— Non, pas vraiment, dit-il. Mais je souris parce que j'ai la certitude que tout va se résoudre. Sam, Marty est un type honnête.
— Absolument. Il n'y a pas plus honnête que lui.
— S'il a inventé quelques histoires à propos de son passé, c'est qu'il avait une bonne raison. Connaissant Marty comme je le connais, je suis sûr qu'il devait avoir une très bonne raison.

Samantha eut envie de lui parler du bébé, et de l'urgence de résoudre le mystère à cause de lui. Mais Marty n'était toujours pas au courant de la nouvelle. C'était injuste d'en parler d'abord à un autre homme. Elle décida cependant d'essayer d'en savoir plus.

— Tom, Marty vous a-t-il parlé d'ennuis avec la justice ?
— Pourquoi ? A-t-il un problème ?
— C'est précisément ce que je voudrais savoir.

— Non, pas que je sache.

— Pensez-vous qu'il puisse avoir… un casier ?

— Marty ? Absolument pas. Mais qui peut savoir ? Il a peut-être fait une bêtise dans sa jeunesse.

— Il faut que nous sachions. Pourquoi ne pas contacter le FBI ?

— Attention, recommanda Tom. Si Marty a fait une bêtise, il a peut-être changé de nom.

— Oui, je sais. L'avocat que j'ai consulté me l'a déjà dit.

— Autre chose. Nous avons parlé de maladie. Marty souffre peut-être d'amnésie, ou d'un autre trouble mental.

— Pourriez-vous le savoir ?

— Moi ? fit Tom sur un ton incrédule.

— Tom, j'ai tout essayé, dit Samantha avec un regard implorant. J'ai même vu un avocat.

— Mais vous n'avez pas parlé à Marty.

— Mon Dieu, non.

Tom regarda Samantha avec sérieux et s'apprêta à lui faire retrouver son bon sens.

— Vous l'aimez toujours, n'est-ce pas, Sam ?

— Bien sûr.

— Continueriez-vous à l'aimer même s'il avait mal agi dans le passé ?

— Oui, je crois.

— Alors, vous avez deux possibilités : ou bien vous oubliez tout cela, ou bien vous en parlez avec lui.

Le hors-d'œuvre arriva à ce moment-là ; Samantha ne pouvait rien avaler.

— Tom, que feriez-vous si vous étiez à ma place ?

— Je ne sais pas. Je ne suis pas marié et je ne suis pas une femme… de toute évidence. Mais…

Il hésita. Samantha sentit qu'il n'était pas prêt à s'engager.

— Je vous en prie, insista-t-elle.

— Il vaudrait peut-être mieux ne pas lui parler directement. Cela pourrait nuire à votre couple.

— Mais j'ai besoin de savoir, Tom.

Il réagit avec la chaleur et la compréhension qui le caractérisaient.

— Je comprends ce que vous devez ressentir, dit-il d'une voix douce.

Ils restèrent silencieux. Samantha n'avait rien appris, même du meilleur ami de Marty. Les conseils qu'il lui avait prodigués semblaient raisonnables mais ne lui étaient d'aucune utilité. Elle avait l'impression que Tom essayait en quelque sorte de le protéger, comme ses autres amis. Elle se dit que fouiller dans le passé de son mari était peut-être une intrusion inacceptable de la part d'une femme, qu'il y avait peut-être des choses qu'elle ne devait pas savoir. N'avait-elle pas des secrets, des tabous dont elle refusait de parler à Marty ? Son père lui avait toujours dit que tout placard contenait un squelette.

Mais elle ne put s'empêcher de faire une dernière tentative avec Tom.

— Tom, je vous ai demandé si vous pouviez découvrir la vérité vous-même. Vous ne m'avez pas répondu. Acceptez-vous ?

— Sam, répondit-il. Je ne saurais même pas comment m'y prendre. Enfin, comment fait-on pour fouiller dans le passé d'un homme ?

Il avait raison. Grimes lui avait déjà dit que c'était là le travail d'un détective privé. Samantha eut l'impression d'être un peu folle. Elle s'était trompée : il ne connaissait pas si bien Marty. L'amitié entre les deux hommes ainsi que sa relation avec Tom risquaient maintenant d'être empoisonnées par son intervention. Tout ce qu'elle aurait obtenu, se dit-elle, c'était de se diminuer aux yeux de Tom. Il finit par accepter de questionner discrètement Marty sur son passé et de procéder à quelques vérifications. Mais, à part cela, ce déjeuner ne donna rien.

Et pourtant, Samantha n'abandonnait pas. Peut-être trouverait-elle d'autres amis qui en sauraient plus ou qui accepteraient d'en dire plus. Elle appela deux autres personnes à qui elle expliqua le problème en disant que c'était peut-être une simple confusion. Tous deux furent très compréhensifs et coopératifs mais ne purent lui fournir aucune information intéressante. Ils faisaient tous la même réponse qui était devenue pour la jeune femme une sorte de refrain : tout allait s'éclaircir, Marty devait avoir de bonnes raisons, il travaillait peut-être pour le gouvernement, il se cachait probablement parce qu'il le devait. Et après tout, quelle importance puisqu'il était un mari aussi charmant ?

Samantha était dans l'impasse.

On était à treize jours du 5 décembre.

Marty était toujours inquiet. Et pourtant il avait mis au point un plan. Presque tout était prêt. Mais qu'en était-il de ces coups de téléphone ? Que manigançait cette femme ? Continuait-elle à téléphoner ? Si oui, pourquoi ?

À 16 heures, un coursier lui apporta un pli cacheté dans son bureau. En voyant l'enveloppe, il devina qui en était l'expéditeur et en fut très surpris. Il ferma immédiatement la porte, décacheta soigneusement le pli et lut le mot manuscrit. C'était exactement ce qu'il redoutait de recevoir un jour. Il regarda longuement l'avertissement qui s'étalait en travers de la page : *Ta femme est au courant. Ta femme sait que ton passé n'existe pas.*

Il déchira la lettre.

9

Marty ne paniqua pas. Il gardait toujours son sang-froid. Oui, Samantha en savait plus qu'elle n'aurait dû, mais elle n'était pas au courant de ses projets. Elle ne pouvait pas savoir, ni même soupçonner. Elle pouvait tout juste se poser quelques questions. Ce n'était guère gênant pour l'exécution de ce plan superbe, pour l'accomplissement de ce rituel si parfait. Son pressentiment, maintenant confirmé par le mot qu'il avait reçu, avait cédé le pas à une conviction très ferme. Il ferait face, jusqu'au 5 décembre.

— Je n'ai jamais mangé un aussi bon poulet, complimenta Marty au cours du dîner ce soir-là. Chère madame, vous avez un tour de main extraordinaire !

Samantha n'avait pas vu Marty aussi heureux depuis l'épisode des trains électriques ; il semblait beaucoup moins nerveux.

— J'ai l'intention de superviser la préparation de la nourriture pour la soirée, lui dit-elle.

— Il n'en est pas question. Tu es peut-être extraordinaire pour la cuisine, mais tu es aussi invitée à ma soirée. Tu ne toucheras à rien.

— Marty, j'ai dit que je voulais superviser la cuisine. Je ne mettrai pas la main à la pâte.

— Je te connais. Écoute, il faut que tu fasses confiance aux professionnels : ils savent ce qu'ils font.

— Je suis vexée.

— Bon, bon. Supervise, si cela te fait plaisir, dit Marty en riant. Mais viens au moins nous dire bonsoir. D'accord ?

— Promis.

Marty lui adressa l'un de ses larges sourires qui avaient fasciné Samantha depuis le premier jour. Les questions se pressaient dans sa tête. Comment l'interroger ? Comment découvrir la vérité ? Quand l'aborder ?

— Il reste très peu de choses à faire pour la fête, dit-elle. Je n'ai plus qu'à choisir le gâteau et à prévoir les fleurs. Tu veux bien des fleurs, n'est-ce pas ?

— Moi, oui, bien sûr. Pourquoi pas ?

— Eh bien, je pensais que les hommes…

— J'aime les fleurs. Je suis un sentimental, dit Marty.

Samantha se demanda ce qui pouvait bien le rendre vraiment sentimental.

— As-tu vu les réponses aux invitations que nous avons reçues aujourd'hui ?

— Non.

— Nous avons reçu celles de Paul, de Keith Harris, de Fred et Maryann, de Seymour Rose : ils viennent tous. Lis le petit mot de Fred ; tu vas rire. Ah ! Hank Burnham de NBC ne peut pas venir.

— C'est dommage, Hank est un chic type. Nous étions à Fort Polk ensemble… mais sans le savoir.

Mon dieu, se dit Samantha. Comment ose-t-il ? Comment peut-il continuer ce cinéma ?

Mais savait-il que c'était du cinéma ?

— Il part pour l'Indiana couvrir un match de football, expliqua-t-elle. Au fait, il t'envoie une pièce de collection de la Grande Compétition.

— Ah bon ? dit Marty avec une lueur dans les yeux. Quoi donc ?

— Il ne m'a pas dit. C'est une surprise.

— C'est vraiment gentil. Dis donc, ajouta-t-il en regardant l'heure. Que dirais-tu d'aller au cinéma ?

— Ce soir ?

— Il ne faut tout de même pas t'inviter des mois à l'avance ?

Samantha n'en avait aucune envie. Elle se sentait complètement perdue, et sortir était la dernière de ses préoccupations.

— Puis-je décliner l'invitation ?

— Tu ne te sens pas bien ?

Elle eut l'impression de discerner une certaine inquiétude sur son visage.

— Non, je suis juste fatiguée.

— D'accord, dit-il.

Il termina son dîner, puis se leva et la suivit dans la chambre. Il se mit à lui caresser les cheveux, ce qu'il n'avait pas fait depuis des mois et qu'elle aimait beaucoup. Il l'avait fait aussi aux autres, les années précédentes.

— Tu sais que tu es extraordinaire, n'est-ce pas ?

— Oui, mais j'aime bien que l'on me rafraîchisse la mémoire.

— Bien. Par quoi dois-je commencer ? demanda-t-il en continuant à lui passer la main dans les cheveux.

Quels bons acteurs ils étaient tous deux, se dit-il. Elle savait qu'il était mythomane ; il savait ce qu'il s'apprêtait à lui faire. Et pourtant ils continuaient à parler comme si de rien n'était. Que pouvait-il bien se passer dans la tête de cette femme ? Comment parvenait-elle à dissimuler aussi bien ses soupçons ? Marty était très impressionné, plus impressionné qu'il ne l'avait jamais été par Samantha.

Mais il devait répondre à une question, jouer un rôle, et il entendait le faire bien. Il s'acquittait toujours de tout avec brio.

— Eh bien, dit-il, tu es extraordinaire parce que tu es très tendre.

— Bien. Et puis ?

— Tu es belle.

— Continue.

— Non, je garde le reste pour plus tard.

— Tu veux dire que tu ne trouves rien d'autre ?

— Bon, d'accord. Tu es fidèle, digne de confiance, gentille, attentionnée…

— Ça va, je suis satisfaite, dit Samantha.

Elle ne put alors retenir une question.

— Marty, que faisais-tu à Fort Polk ?

Marty se contracta imperceptiblement. Elle recommence, se dit-il.

— J'étais un héros.

— Allons !

— Non, sans plaisanter, j'étais en mission spéciale secrète.

— Marty…

— Bon, d'accord. Je vais te dire la vérité, dit-il en s'arrêtant de lui caresser les cheveux. Je tapais les rapports d'accidents des Jeeps. Je baisse dans ton estime, n'est-ce pas ? dit-il en riant.

— Je n'ai jamais pensé que tu étais général !

Ils bavardèrent pendant quelques minutes encore de tout et de rien, puis Marty jeta un coup d'œil à sa montre.

— Si nous n'allons pas au cinéma, je vais travailler un peu.

— Bien sûr, dit Samantha qui avait senti la tension intérieure qui s'exprimait dans sa voix et son débit saccadé.

Il se mit à son bureau, manquant le journal télévisé de la chaîne CBS qu'il ne ratait jamais et fit mine d'étudier une pile de dossiers. Une fois de plus, les mots lui revinrent à l'esprit, ces mots qui hantaient sa mémoire.

« Frankie est un gentil garçon. Il a attendu longtemps.

— Ça va. C'est un gosse. Combien de temps un gosse peut-il attendre ?

— Je veux le voir heureux.

— Lui ? Et moi alors ?

— Tu sais bien que j'ai essayé.

— Quand as-tu essayé ? Hier ? Ce matin ? »

Quelle journée ! Marty en gardait le souvenir précis et vivant. Il approchait maintenant d'un nouvel anniversaire où le souvenir allait être célébré dans les règles. Il sentit que sa main tremblait. Ce souvenir ne le quitterait jamais. Il en avait la certitude en regardant la chambre avec son organisation étrange et ce cadre bizarre qu'il avait accroché au mur. D'autres hommes partageaient-ils ce sentiment ? Quelqu'un d'autre ressentait-il la même chose ?

Il ne cessa de contempler la pièce. « Frankie aime bien ça », se murmura-t-il. Il savait.

Marty perdit complètement la notion du temps. Samantha finit par entrer dans la chambre.

— Il y a un problème ? demanda-t-elle.

— Quoi ?

Marty était incapable de répondre à une question.

— Cela fait des heures que tu es ici, Marty. Quelque chose ne va pas au bureau ?

— Non, dit-il. Mais j'ai beaucoup de paperasses, des factures, du courrier. J'ai rattrapé le retard. Il n'y a aucun problème.

— Tu es sûr ?

— Absolument.

Samantha eut la tentation de jeter un coup d'œil aux dossiers qui, peut-être, la renseigneraient sur le passé de Marty. Peut-être son travail lui permettrait-il de comprendre. Mais elle abandonna cette idée. C'était trop dangereux. Elle n'était pas une professionnelle.

— Tu viens te coucher ? proposa-t-elle.

— C'est un peu tôt. Je crois que je vais rester encore un peu debout. Cela ne te fait rien, n'est-ce pas ?

— Cela me fait toujours quelque chose, dit-elle en riant. Mais je te pardonnerai demain si j'ai mon dû.

— Promis ? Je mettrai le dispositif en marche.

— Et ne t'avise pas de l'utiliser ailleurs, répondit-elle avec un clin d'œil gentil.

Tout ceci était absurde, dans la situation présente. Elle était là à se livrer à une joute verbale avec un homme qui était devenu l'objet de ses soupçons, et dont elle portait l'enfant. Et lui ? Il réagissait tout naturellement, alors qu'il était obsédé par l'image du marteau et de la chaîne, et par leur prochaine utilisation.

Elle alla se coucher.

Il la regarda longuement. Elle n'avait plus que douze jours à vivre.

Le lendemain, Samantha décida d'aller à la police. Une décision à la fois instinctive et rationnelle, puisqu'elle avait épuisé toutes les pistes et que sa curiosité s'était transformée en peur, peur du danger que pouvait représenter pour elle le problème de Marty. Elle risquait de lui faire du mal en y allant, mais elle pouvait aussi le protéger. Afin d'éviter toute complication gênante, elle décida de n'en parler à personne, pas même à Tom.

Elle pensa d'abord se rendre au commissariat de son quartier mais y renonça car elle avait trop d'amis dans les parages. Et si on la voyait sortir de là ? Que penserait-on ? Personne n'avait envie d'être vu dans un commissariat, se dit-elle, dans un dernier soubresaut d'éducation bourgeoise.

Elle se rendit donc en taxi au commissariat central, un immeuble moderne qui abritait le bureau des personnes disparues. En sortant du taxi, Samantha eut l'impression de se noyer dans un océan de bleu ; ce spectacle l'effraya, par son côté militaire : elle avait l'impression d'être dans une forteresse, d'être perdue dans un milieu hostile. Mais les policiers entraient et sortaient des bureaux, très décontractés, et offraient un spectacle inhabituel à Manhattan, où ils circulaient en général en petits groupes.

— Madame ? lui demanda le planton.

Samantha fut impressionnée. Elle avait bien fait de venir au commissariat central.

— C'est pour une personne disparue.

— Un enfant ?

— Non, un adulte.

— Bien. Vous êtes sûre qu'il a disparu ?

— Euh, c'est très compliqué. Il s'agit d'un homme qui a peut-être disparu sans le savoir. Oui, j'ai tout à fait conscience de tenir des propos bizarres.

— Mais nous sommes là pour vous écouter, madame, dit le policier. Prenez l'ascenseur jusqu'au quatrième étage, puis tournez à gauche. Bureau 418.

— Merci.

Samantha prit l'ascenseur avec un groupe de policiers costauds et un suspect qui était amené, menottes aux poignets, pour être interrogé.

Elle repéra immédiatement une porte sur laquelle le panneau *Disparitions* commençait à s'écailler. C'était normal, d'ailleurs, se dit Samantha, un commissariat devait être vétuste et humide avec des craquelures au plafond et des ampoules nues pour tout éclairage. Elle trouvait anormal de voir les murs couverts d'affiches syndicales et non d'avis de recherche, d'entendre le bruit des machines à écrire électroniques et des terminaux, de ne pas sentir une odeur de renfermé et de poussière. Cet endroit ne correspondait pas du tout à l'image que s'en faisait Samantha, et cela lui permit d'être plus à l'aise.

Elle attendit plus d'une heure sur une chaise métallique dans une pièce grisâtre et fut tout étonnée de ne voir pratiquement que des femmes. Pourquoi donc ?

Était-ce un hasard ? Les femmes étaient-elles plus aptes à remplir des formulaires ? Venaient-elles déclarer des disparitions d'enfants ? Ou bien y avait-il beaucoup plus de Marty que Samantha ne le pensait ?

Des sanglots troublaient parfois le silence de la salle d'attente. Certaines femmes sortaient en se cachant le visage et partaient presque en courant, soit par honte, pensa Samantha, soit parce qu'elles venaient d'apprendre de mauvaises nouvelles. Elle finit par s'adresser à la contractuelle au guichet de la salle d'attente.

— Cela ne devrait pas tarder, lui dit-elle.

— Non, ce n'est pas cela. Je me demandais simplement…

Elle s'arrêta, craignant que sa question ne fût ridicule.

— Oui ?

— Je me demandais combien… on en retrouvait.

— Pas beaucoup, lui répondit la jeune femme tout de go.

— Pourquoi ?

— Mon collègue va vous l'expliquer. Je ne suis pas autorisée à en parler.

Quels détails le policier allait-il donc lui donner ? Qu'y avait-il de secret ? Samantha fut irritée par ce blocage bureaucratique mais ne le montra pas. Ce n'était pas le moment d'être désagréable, alors qu'elle avait tellement besoin d'eux. Elle regagna sa chaise.

Quelques instants plus tard, un grand officier d'un certain âge passa sa tête hors de la salle d'interrogatoire.

— Madame Shaw ? appela-t-il.

Samantha le rejoignit dans la grande pièce qui était divisée en box isolés phoniquement.

Elle lut son nom sur son badge : sergent Yang. Il lui fit signe de s'asseoir, sur un siège plus confortable cette fois.

— Bien, dit-il. Je vois que vous habitez dans le quartier de la 20e division. Avez-vous contacté le bureau des disparitions ?

— Non, j'étais…

— Un peu gênée ?

— Oui.

— Je comprends. Je vois qu'il s'agit d'un passé fantôme, dit-il après avoir jeté un coup d'œil à sa fiche.

— Oui, répondit Samantha.

— Vous avez utilisé toutes les pistes, consulté tous les spécialistes ?

— Oui, j'ai tout essayé avant de venir vous voir.

— Parfait. Trop de gens se précipitent ici dès qu'ils ont un problème chez eux. Cela encombre pour rien.

Samantha ne dit rien, se demandant si elle encombrait elle aussi.

Yang s'enfonça dans son siège pour poser à Samantha les questions d'usage.

— Avant d'aborder les détails, je voudrais vous prévenir d'une ou deux choses. Tout d'abord, nous ne réussissons pas toujours. Nous ne trouvons pas toujours les personnes disparues, car, le plus souvent, elles ne désirent pas être retrouvées.

— Elles ne le désirent pas ?

— Non. Ces gens ont tout simplement décidé de changer de vie. Ils abandonnent tout et s'en vont. Notamment des hommes mariés. Ils arrivent à un certain point de tension, avec les factures et d'autres problèmes de ce genre et laissent tout tomber. Vous avez sans doute déjà lu des histoires de personnes que l'on aperçoit pour la dernière fois dans une gare ?

— Oui.

— Presque toujours dans une gare. On ne les revoit jamais plus après.

Samantha se rendit compte qu'elle avait jusque-là mené une existence protégée. Elle n'avait jamais connu personne qui ait disparu ainsi.

— Ce n'est pas du tout le genre de Marty, dit-elle.

— Tout le monde dit ça, commenta-t-il en souriant. Votre mari n'a pas disparu de votre vie. Ce que vous craignez, c'est qu'il ait disparu d'ailleurs.

— Oui. C'est bien cela.

— Bon, poursuivit Yang. Envisageons toutes les possibilités. On ne sait pas si cette disparition est volontaire ou non. Si c'est involontaire, c'est peut-être la conséquence d'une maladie mentale ou d'un accident. Si c'est intentionnel, c'est peut-être parce qu'il voulait échapper à une vie qui ne lui convenait plus, ou à une situation donnée. Ce n'est pas forcément un délit qui l'a fait fuir. Ce peut être un scandale personnel, ou une méprise. Ou alors il veut fuir un échec professionnel.

— Je ne sais pas, dit Samantha.

— Bien sûr. Examinons les faits. Marty a-t-il fait allusion à des gens que vous ne connaissiez pas ?

— À propos de son travail, oui. Mais il me disait qui ils étaient.

— Parle-t-il en dormant ?

— Non.

— A-t-il les idées très claires à propos du passé ? Lui arrive-t-il de dire quelque chose puis de revenir sur ce qu'il a raconté ?

— Non, pas du tout. Marty parle beaucoup de son passé, ou tout au moins de ce qu'il prétend être son passé. Nous avons même décidé de faire un voyage dans le Midwest où il a, paraît-il, grandi.

— Voilà qui est intéressant, dit Yang en notant ce détail. La plupart des gens qui se dissimulent ne font pas ce genre de chose. Mais je n'y accorderai guère de crédit.

— Pourquoi ?

— Parce que Marty peut très bien connaître les endroits que vous allez visiter sans y avoir jamais vécu. Où dit-il être né ?

— À Elkhart, dans l'Indiana.

— Devez-vous y aller ?

— Oui.

— Pourquoi ?

— C'est moi qui l'ai suggéré à Marty, juste pour voir ce qu'il allait dire, mais il a sauté sur ma proposition.

— Je ne vois vraiment pas où il veut en venir.

— Je me demande aussi pourquoi il a accepté ce voyage.

— Peut-être veut-il vous impressionner. Il peut vouloir vous donner des preuves de ce passé qu'il s'est forgé. Cela le rassure peut-être que vous croyiez à son histoire.

Samantha regardait fixement le sol.

— Tout cela est purement théorique, dit-elle en essayant de ne pas être trop vexante.

— Bien sûr, mais nous sommes en train d'essayer d'écrire l'histoire de quelqu'un.

— Peut-être ne pourrez-vous pas résoudre mon problème ?

— Dans le pays de mon père, en Asie, un proverbe dit que les plus longs voyages commencent par un tout petit pas.

— Oui, j'ai déjà entendu cela.

— Il nous faut faire ce tout petit pas. Nous ne découvririons peut-être pas qui est Marty ni d'où il vient, mais nous parviendrons sans doute à cerner le problème. Je vous ai déjà parlé de certaines possibilités.

— M. Grimes, l'avocat que j'ai consulté, m'a fait lui aussi les mêmes suggestions.

— Cela ne m'étonne pas. Elles font partie des éventualités stéréotypées que l'on envisage toujours. Bien. Avez-vous un enregistrement de la voix de votre mari ?

— Sur cassette ?

— Oui. Du courrier dicté, par exemple.

— Je ne sais pas. Je peux chercher dans son bureau. Pourquoi ?

— Pour les accents régionaux. Nous avons un expert qui pourra certainement détecter d'où il est originaire.

— Je vais essayer de trouver quelque chose, dit Samantha.

— Bien. Prend-il des médicaments inhabituels ?

— Non.

— Dommage. Nous parvenons parfois à retrouver de vieilles ordonnances.

Yang prenait des notes tout en parlant et Samantha remarqua que son écriture était parfaite pour un gaucher.

— J'aime écrire au stylo-plume, dit-il en voyant qu'elle l'observait. J'écris tout à la main : je n'aime pas les machines à écrire. C'est trop impersonnel.

Samantha se sentit réconfortée par le sourire qu'il lui adressa : de toutes les personnes auxquelles elle avait fait appel, Yang était le plus humain. Cette barrière qu'elle avait sentie entre elle et Grimes, Levine et les amis de Marty ne la séparait pas de Yang. Je peux me confier à lui, se dit-elle. J'ai envie de me confier à lui.

— Je voudrais vous dire quelque chose.

— Oui, bien sûr, dit Yang.

— J'attends un bébé.

— Toutes mes félicitations. Je ne savais pas.

— Merci. Ce que je voulais vous dire, c'est que je désire cet enfant. C'est notre enfant. Mais quelquefois aussi, je n'en veux pas. Vous voyez ce que je veux dire.

— Allons. Il sera superbe.

— Sergent Yang, c'est l'enfant de Marty, je vous le jure. Mais je ne sais plus qui est son père. Me comprenez-vous ?

— Tout à fait.

Samantha fit alors ce qu'elle s'était refusé jusque-là. Elle se mit à pleurer, comme toutes ces femmes qu'elle avait vues sortir de cette pièce et à qui elle ne voulait surtout pas ressembler. Yang la regarda pleurer, conscient que c'était la meilleure libération. Il voyait des larmes tous les jours comme les médecins voient du sang : cela faisait partie de son travail. Il ne dit rien pour laisser à Samantha le temps de se reprendre et utilisa ce court moment à terminer ses notes sur Marty tout en jetant de temps en temps un regard compatissant à Samantha.

— Excusez-moi, finit-elle par dire en prenant le mouchoir en papier que Yang lui tendait. C'est affreux. C'est la première fois que je me laisse aller ainsi.

— Je suis content que ce soit arrivé dans ce bureau.

Elle n'avait pu pleurer devant Lynne ou Tom. Même dans le cabinet du psychiatre, elle n'avait pas pu se laisser aller. Et là, elle pleurait.

— J'ai attendu Marty toute ma vie, dit-elle en tentant de réprimer ses sanglots. Bien sûr, j'essaie de me convaincre que cela va aller, mais, au fond de moi, je sais bien que ce n'est pas vrai. J'essaie de me dire qu'il est toujours le prince charmant que j'ai connu, mais je sais bien que c'est faux. Et puis je me demande ce que je vais dire à cet enfant plus tard. Marty ne sera plus là. J'en suis sûre.

Yang ne l'interrompit pas. Il savait que les victimes devaient résoudre leurs problèmes dans leur tête d'abord et décida de la laisser parler.

— J'ai eu d'autres occasions de me marier, poursuivit Samantha qui ne pouvait plus s'arrêter de parler. L'un de mes prétendants était un correspondant étranger : ce n'était pas un bon parti. Non. J'ai attendu de rencontrer Martin Everett Shaw. Personne d'autre n'était assez bien pour la belle Samantha.

— Ne vous en prenez pas à vous, dit Yang. Nous faisons tous la même chose : nous attendons toujours le meilleur. Je pense que vous avez bien fait.

— Vous en voyez beaucoup comme moi, n'est-ce-pas, dit Samantha en regardant longuement Yang droit dans les yeux.

— Tous les jours, répondit-il. Et je ne voudrais pas que vous fassiez comme toutes les autres. Trop de femmes finissent par se dire que c'est de leur faute si leur mari a disparu, ou a un problème analogue à celui de Marty. Je vois que vous commencez à prendre ce chemin. Mais c'est son problème à lui ; vous n'avez rien à voir là-dedans. S'il a mal agi par le passé, vous n'avez aucun reproche à vous faire.

— Merci, dit Samantha.

C'était la deuxième fois qu'elle rencontrait un homme aussi compréhensif : le premier avait été Marty.

— Reprenons, voulez-vous ? proposa Yang.

— Bien sûr. Excusez-moi de vous faire perdre votre temps.

— Pas du tout. Bien, pour votre bébé, tout se passe bien ?

— Oui.

— Il faut que vous le gardiez.

— Je le souhaite, promit-elle.

— Je voudrais maintenant aborder la question financière, si vous le permettez.

— Allez-y.

— Avez-vous jeté un coup d'œil aux feuilles d'impôts ?

— C'est Marty qui s'en occupe en général, mais je les regarde rapidement tous les ans pour vérifier les calculs.

— Avez-vous remarqué des sommes importantes non déclarées ?

— Non. Marty est honnête.

— Avez-vous une idée de ses comptes ?

— Que voulez-vous dire ?

— Voyez-vous des sommes importantes disparaître ?

— Je ne pense pas, mais je ne fais pas très attention.

— Si votre mari doit payer quelqu'un pour rester en vie par exemple, cela doit se voir.

— Oh, mon Dieu !

— N'échafaudez pas de conclusions, s'il vous plaît. Mais je voudrais voir tous les documents financiers que vous pourrez obtenir sans en informer votre mari.

— Je ferai mon possible.

La conversation se poursuivit pendant une heure et Yang posa à Samantha toutes les questions d'usage. Il n'était guère optimiste : l'image qu'il se faisait de Marty était celle d'un homme calculateur qui avait su se protéger et qui s'était probablement fabriqué une nouvelle vie et une nouvelle identité pour échapper à un passé compromettant.

— Nous avons une banque de données nationale, lui expliqua-t-il, où sont répertoriées les photos de milliers de personnes disparues. Voudriez-vous jeter un coup d'œil sur quelques-unes d'entre elles ?

— Quelques-unes ?

— Oui, elles sont classées. Je ne vous montrerai que des hommes de l'âge de Marty. Il est inutile de vous montrer des photos d'enfants ou d'adolescents. D'accord ?

— D'accord. Je veux essayer toutes les pistes.

Yang accompagna Samantha jusqu'à la photothèque en l'entourant de son bras avec une chaleur qu'elle apprécia beaucoup.

Elle remarqua que ses collègues le regardaient en coin et se dit que ce policier aurait pu être psychologue, curé ou travailleur social.

Les murs de la photothèque étaient recouverts de tiroirs métalliques contenant les photos de personnes disparues. Yang trouva la série qu'il cherchait et Samantha commença à examiner les documents sans grand espoir.

— Souvenez-vous, lui dit-il, que votre mari a peut-être changé son apparence physique. Concentrez-vous sur la forme du visage et l'aspect de la peau. Regardez aussi l'implantation des cheveux et la taille des oreilles.

— Bien, dit Samantha.

Malgré son pessimisme, elle était contente de regarder ces photos : c'était au moins un acte concret, plus concret qu'une simple discussion avec des amis ou des professionnels qui lui coûtaient cher. Elle fut étonnée par leur nombre, en général des clichés familiaux reproduits par les commissariats de toutes les régions. Certaines étaient touchantes, montrant des hommes en compagnie de leur femme et de leurs enfants, avec un air heureux. Presque tous les hommes avaient l'air de gens tranquilles et sans problèmes. Et pourtant, à en croire Yang, la plupart d'entre eux avaient abandonné leur foyer pour recommencer une autre vie.

— La plupart de ces types ont probablement une nouvelle femme et des gosses. Certains font même cela plusieurs fois. Nous avons eu un type qui avait quitté trois familles successives.

— N'y a-t-il pas de vraies personnes disparues ?

— Oui, bien sûr. Beaucoup d'enfants. C'est un scandale national. Certains adultes disparaissent aussi parfois, après avoir été volés : cela les empêche de pouvoir témoigner. Et puis il y a les blessures de la tête dont nous avons parlé.

Comme promis, Yang montra à Samantha des photos d'hommes qui avaient approximativement l'âge de Marty ou qui étaient plus jeunes sur la photo mais devaient avoir à peu près son âge maintenant.

Ils furent bientôt rejoints par un autre policier et une autre femme âgée d'une vingtaine d'années dont le mari venait de disparaître. Samantha entendit des bribes de leur conversation dans laquelle les mots « faillite », « créanciers », « usuriers » revenaient sans cesse. Cela semblait logique : un homme qui a des problèmes financiers peut avoir envie de disparaître.

Au bout d'un moment, Samantha eut du mal à se concentrer. Aucun de ces hommes ne ressemblait à Marty et elle ne savait pas si elle devait s'en réjouir ou être déçue. Mais n'importe quelle piste vaudrait mieux que ce mystère. Elle examina consciencieusement la pile qu'elle avait devant elle, pleine d'attente et de crainte à la fois.

Les photos des hommes plus jeunes la fascinaient : elle avait l'impression qu'elle pouvait ainsi pénétrer dans le passé de Marty. Certains clichés avaient été pris dix ou quinze ans plus tôt. À cette époque, Marty approchait de la trentaine, âge auquel la plupart des hommes se marient et ont leur premier enfant. Elle avait déjà observé Marty en présence de ses amis et de leurs enfants : il avait toujours l'air emprunté, gauche. Non, il n'avait pas pu avoir une famille auparavant.

Tout d'un coup…

Elle regarda une photo.

Un homme en jeans, avec une chemise sport, et deux petits garçons à ses côtés, devant un grand ranch.

Samantha étudia longuement la photo, se frotta les yeux pour être sûre que la fatigue ne lui troublait pas la vue.

Marty aimait les ranchs, il le lui avait souvent dit. Il voulait un ranch à la campagne pour l'été.

Peut-être en avait-il toujours voulu un ?

Peut-être en avait-il eu un ?

Les traits de ce visage lui étaient très familiers. Yang saisit la réaction de Samantha mais, une fois de plus, se garda d'intervenir. Il fallait lui laisser le temps d'étudier le cliché, de réfléchir. Et surtout il fallait se garder d'être suggestif ou directif.

Une autre photo allait avec la première qui montrait le même homme en compagnie d'une très belle femme. Samantha refoula une fois encore ses larmes. Était-ce possible ? Les photos étaient floues. Mais ce visage, pourtant, cette carrure, la forme des épaules. Et le ranch.

D'un geste lent et discret, Yang saisit une loupe qui se trouvait sur une étagère et la tendit à Samantha. Elle la plaça sur le visage de la seconde photo et regarda de près, en serrant les poings. Elle se raidit comme si on venait de la poignarder.

— Marty, dit-elle entre ses dents, je t'ai trouvé.

10

— Attendez un instant, lui conseilla Yang.

Il évita de se réjouir trop vite, tout en sachant que ce moment était très pénible pour Samantha. C'était un moment décisif pour le reste de sa vie, une découverte qui pouvait tout changer, sans doute détruire son couple. Manifester de la joie aurait été indécent au moment où une photo venait confirmer ses craintes les plus sombres.

Yang alla chercher la fiche qui correspondait aux références du cliché. Samantha était toujours immobile, les yeux fixés sur les photos. Yang savait qu'elle était sous le choc. Elle regardait probablement plus la femme et les enfants, surtout la femme d'ailleurs : c'était là des gens d'une importance capitale pour elle.

Samantha était comme paralysée, et obsédée par une question : cette femme, ces enfants étaient-ils toujours en vie ? Peut-être avaient-ils été victimes d'une tragédie ? Un incendie, un accident de voiture. Peut-être était-ce la raison…

Que devait-elle espérer ?

Avait-elle le droit de souhaiter leur mort, d'espérer que Marty ait échappé à un passé horrible avant de la rencontrer ? Était-ce cruel, immoral, choquant d'avoir de telles pensées ? C'était pourtant naturel. Samantha ne pouvait s'empêcher d'espérer que cette famille appartienne vraiment au passé, cause du trouble de Marty, mais disparue à tout jamais.

Yang lui apporta le rapport classé dans un dossier au nom de Kenneth BRANNEN.

— Votre mari connaît-il quelque chose à la banque ? lui demanda-t-il.

— Un peu. Mais nous ne parlons jamais de cela, sauf lorsque nous avons ouvert nos comptes.

— Cet homme était banquier. Il avait une femme et deux enfants et ils habitaient dans le Wisconsin, à Green Bay. Ils ont une bonne équipe de football là-bas, vous savez ?

— Oui, j'en ai entendu parler. Marty regarde parfois…

— Il aime le foot ?

— Oui, mais il regarde d'autres équipes aussi.

— Bien. Le rapport dit que cet homme a disparu en 1969 alors qu'il rentrait chez lui après une réunion de la Territoriale où il s'occupait de la comptabilité.

— Vous voulez dire que sa famille était en vie lorsqu'il a disparu ? dit Samantha en défaillant.

— Je suppose que oui. Rien ne prouve le contraire.

— Je vois.

Samantha venait de plonger dans l'horrible réalité des hommes qui quittaient leur famille pour recommencer une nouvelle vie. Yang sentit qu'il fallait éviter qu'elle ne se laisse hanter par ces images.

— Marty parle-t-il de l'armée ?

— Oui, mais pas de comptabilité. Il m'a donné le nom des endroits où il était, mais les indications sont fausses.

— J'insiste pour que vous regardiez encore ces photos. Vous êtes sûre que c'est bien Marty ?

Samantha les étudia une fois de plus à la loupe.

— Absolument, conclut-elle d'une voix glaciale. Non, il n'a guère changé. C'est bien Marty.

Elle reconstruisait une réalité qui la dévorait.

— C'est Marty. Et ce sont sa femme et ses enfants. Il est fort pour garder ses secrets, n'est-ce pas ? Jamais un lapsus. Très fort, Marty. Vous vous rendez compte de ce qu'il lui a fait ? De ce qu'il leur a fait ? De ce qu'il m'a fait ?

— Essayez de vous contrôler, lui conseilla Yang d'une voix douce. Souvenez-vous que cette identification n'a rien de sûr.

— Si. Elle est sûre.

Samantha sentait qu'elle ne pouvait plus être rationnelle. Elle n'était plus qu'émotion. Et pourtant elle voulait se contrôler et y parvint.

— Le dossier de cet homme contient très peu d'informations. Il est incomplet, ce qui arrive souvent lorsqu'il s'agit de petits commissariats. Bien sûr, il a commis un délit.

— Lequel ?

— Abandon de famille. Et s'il s'agit bien de votre Marty, il y aura probablement inculpation dans le Wisconsin.

Samantha repensa à ce que lui avait dit l'avocat : il l'avait prévenue qu'elle risquait de causer des ennuis à Marty en prenant contact avec la police. Mais cela lui était égal : s'il avait pu avoir une conduite aussi horrible, il méritait le pire.

— Il me faut plus de renseignements sur cet homme, dit Yang. Je veux une identification sûre à cent pour cent.

Yang retourna dans son bureau avec Samantha et les photos. Il rechercha *Kenneth Brannen* sur son terminal ; pendant qu'il attendait l'aboutissement de sa demande, Samantha entendit un homme demander, à moitié en anglais, à moitié en espagnol, des informations sur son fils disparu : le garçon avait quitté son appartement de Manhattan pour se rendre à son travail mais n'y était jamais arrivé. Samantha eut mal pour lui : c'était son seul fils, disait-il, sa femme était morte et il était tout seul. Elle se dit qu'il y avait pire que son propre malheur. Perdre un fils est plus grave qu'épouser un homme qui a maille à partir avec la justice.

La recherche sur ordinateur ne donna rien. Yang abandonna donc et décida d'appeler la police de Green Bay.

Il eut la communication en quelques secondes. Un policier trouva immédiatement la fiche au nom de Kenneth Brannen mais, là aussi, elle était incomplète. Certaines pièces n'avaient probablement jamais été remises au dossier et avaient été égarées. Mais Yang obtint quelques détails intéressants.

— L'homme a une petite cicatrice au genou droit provenant d'une opération, lui dit le policier de Green Bay.

Yang nota le détail puis demanda à Samantha si c'était le cas pour Marty.

— Non, répondit-elle.

— Il a pu utiliser la chirurgie esthétique.

— Cet homme est passionné par les trains, poursuivit le policier de Green Bay.

— Votre mari aime-t-il les trains ? demanda Yang.

Samantha sursauta. Les trains !

— Oui. Absolument.

Le reste des renseignements était plus flou et aurait pu s'appliquer à n'importe qui. Kenneth Brannen aimait parler de sport, il avait passé deux ans dans l'armée, essentiellement en Europe, il allait à l'église et insistait pour y être accompagné par sa famille ; son dossier médical et dentaire ne figurait pas mais pouvait être retrouvé. Enfin Yang porta un dernier renseignement à la connaissance de Samantha, délicat et douloureux. Il lui lut intégralement la note ajoutée au dossier en 1982 :

Mme Kenneth Brannen (Kathleen) ne s'est pas remariée bien que son mari ait été déclaré mort au bout de la période légale de sept ans. Elle travaille comme libraire et habite 27, Mulberry Drive. Ses deux fils sont à l'université et bénéficient de bourses. Mme Brannen n'a pas cessé les recherches à propos de son mari et continue à proposer une récompense de 5 000 dollars.

— C'est la première personne à interroger, dit Yang. À moins que vous ne vous y opposiez, je voudrais prendre contact avec elle. J'espère pouvoir obtenir ainsi la certitude qu'il s'agit bien de Marty.

— Mais c'est lui, protesta Samantha sur un ton exaspéré. Croyez-vous qu'elle va accepter de coopérer ?

— Elle cherche toujours à avoir des renseignements.

— Mais les veut-elle de la nouvelle Mme Brannen, ou de « Mme Shaw » ?

Yang n'avait pas pensé à cet aspect : la première épouse et la femme actuelle qui se retrouvaient.

— Je ne sais pas, avoua-t-il. Mais, à mon avis, n'importe quelle femme dans sa situation accepterait de coopérer. La seule complication, c'est que son mari a été déclaré décédé. Si elle a bénéficié d'une prime d'assurance et si Marty est son mari, la compagnie risque de se retourner contre elle.

— Avec succès ?

— Je ne suis pas juriste. Tentons toujours notre chance. D'accord ?

— Allons-y, dit Samantha en soupirant, incapable de prendre une décision.

Mais juste au moment où Yang allait rappeler Green Bay, elle lui saisit le bras :

— Attendez.

— Qu'y a-t-il ?

Elle respira profondément, sachant bien qu'elle allait avoir l'air bête.

— Je veux lui parler.

— Quoi ?

— Je veux parler à Mme Kenneth Brannen, la première femme de mon mari… Sa seule femme au regard de la loi.

— Vous êtes sûre ?

— Absolument, répondit Samantha avec force.

Elle se surprit elle-même, se demanda comment elle arrivait ainsi à assumer la situation. Combien de temps ses nerfs allaient-ils tenir ? Jusqu'à quand allait-elle supporter cette souffrance ?

— Cela risque d'être pénible, dit Yang.

— Je suis prête. Nous avons beaucoup en commun.

Yang plia devant la détermination de Samantha.

— La personne veut parler à Mme Brannen, dit-il au policier de Green Bay. Est-ce possible ?

Ce dernier se mit à rire, un rire gras qui se termina en quinte de toux.

— C’est la première fois que j’entends une chose pareille.

— La personne le souhaite, insista Yang. Est-ce possible ?

— Je peux essayer. Je vous rappelle.

— Merci.

Yang raccrocha.

— Nous n’avons plus qu’à attendre.

Un étage plus bas, Cross-Wade barra un autre jour sur son calendrier. Plus que onze jours jusqu’au 5 décembre et rien de nouveau n’était intervenu. Il en était réduit à relire les détails des crimes précédents pour trouver une nouvelle piste. Arthur Loggins était assis en face de lui, tout aussi perplexe. Cross-Wade arpenta la pièce, la tête basse comme un homme qui s’avoue vaincu.

— Quelle humiliation, dit-il. Même mes fleurs ont l’air tristes. Bien sûr, en haut, on va me dire que je ne suis pas assez moderne, que j’aurais dû utiliser les ordinateurs, que je travaille comme dans le temps. Ils auront raison. Mais je crois à mes méthodes.

— Oui, monsieur, dit Loggins de son ton morne habituel.

— Vous avez interrogé tous les témoins et vous n’en avez rien tiré de précis, n’est-ce pas ?

— Exactement, monsieur. La femme qui se trouvait dans les parages du meurtre dit qu’elle a entendu quelqu’un imiter le bruit du train.

— C’est très vague.

— Absolument, monsieur. Mais c'était tout près de la nationale I-95, à Greenwich dans le Connecticut. Cette dame dit que très peu de gens se promènent par là. Cela a été vérifié. Et c'était à peu près l'heure présumée du crime.

— Et alors ? Allons-nous rechercher tous les gens qui font un bruit de train ?

Loggins ne répondit pas. Tout comme Cross-Wade, il se sentait humilié.

— J'avais pensé faire mener une enquête discrète auprès de toutes les esthéticiennes et tous les coiffeurs, dit Cross-Wade, afin de repérer toutes les femmes qui ont des cheveux châtains. Nous pourrions y envoyer la police locale… Mais ce que je crains, c'est de créer ainsi une panique générale. Une sorte de psychose.

— Oui, monsieur.

— J'ai écarté cette idée. Et je suis content de m'être rendu compte qu'elle était mauvaise. Dites-moi, Arthur, il doit bien y avoir quelque part une photo de cet homme lorsqu'il était petit. Ce n'est pas possible que tout ait disparu.

— Toutes les photos ont disparu, monsieur, à l'exception de ce cliché de journal dont le négatif a d'ailleurs été égaré. La photo est très floue, nous en avons déjà parlé.

— Bien. Je n'ai rien d'autre. Voilà un homme qui ne commet aucune imprudence, qui ne laisse aucune trace. Il pourrait frapper en Alaska cette année. Comment le savoir ? Peut-être même est-il mort ?

— Monsieur, dit Loggins, cela peut très bien continuer jusqu'à ce que le type commette une bévue. Vous

vous souvenez de « Fils de Sam » ? Il s'est fait prendre à cause d'un ticket de parking.

Cross-Wade s'arrêta net et se rassit :

— Vous avez raison. La vie humaine ne tient parfois qu'à un peu de chance.

Les deux hommes restèrent silencieux pendant un long moment, perdus dans leurs pensées moroses. Finalement, Cross-Wade prit la parole en des termes qu'il répugnait à utiliser.

— Arthur, nous devons mettre au point une stratégie qui nous permettra de suivre le prochain meurtre. Nous devons savoir exactement comment nous allons réagir, quelles actions nous allons mener. Les souvenirs des témoins perdent très vite de leur précision.

— Je vais préparer quelque chose.

— S'il vous plaît.

Samantha patienta.

Yang se plongea dans des travaux de paperasserie pendant que le policier de Green Bay essayait de joindre Kathleen Brannen. Mais il était inquiet pour Samantha : il voyait bien qu'elle n'allait pas se contrôler très longtemps et que, tout comme lorsque l'on vient de perdre un parent, on peut assurer toutes les formalités administratives puis exploser dès que l'on rentre chez soi. Yang remarqua que ses mains tremblaient un peu et qu'elle avait pâli ; soudain, elle posa sa main sur son ventre.

— Qu'y a-t-il ?

— Une petite douleur, répondit-elle d'une voix chancelante.

Elle repensa à la mise en garde de Fromer : le surmenage pouvait nuire au bébé. Puis elle ajouta :

— Tout va bien.

— Nous avons une équipe médicale d'urgence. Voulez-vous que je l'appelle ?

— Non, merci. Ça va aller ; je suis juste un peu inquiète.

Samantha craignait d'être transportée à l'hôpital et de manquer Kathleen Brannen.

Le téléphone sonna. Tous deux le regardèrent sans bouger. Yang se sentait très lié à son « sujet ».

— Yang, dit-il en décrochant.

Il écouta son interlocuteur puis dit simplement :

— Je vois. Je vous remercie. Elle appelle ici, précisa-t-il à Samantha après avoir raccroché.

— Vous a-t-il dit comment elle avait réagi ?

— Ébahie. Perdue.

La sonnerie du téléphone retentit à nouveau. Samantha décrocha immédiatement : Yang ne fit rien pour l'en empêcher.

— Allô ?

Malgré la friture qui encombrait la ligne, la voix lui parvint très clairement, une voix banale avec un accent traînard que Samantha n'aurait jamais imaginée pour la femme de Marty.

— Puis-je parler au sergent Yang ? demanda Kathleen Brannen.

— Êtes-vous… madame Brannen ?

— Oui.

— Je suis…

Samantha hésita. Que devait-elle dire ? Comment devait-elle se présenter ? Elle était « l'autre femme », comme dans les mauvais feuilletons, et savait très bien ce que Kathleen allait penser d'elle. Elle aurait eu la même réaction si elle avait été à sa place, abandonnée avec deux enfants.

— Je suis madame Martin Shaw.

— Oh ! dit Kathleen sans une once d'agressivité. Je suppose que… nous connaissons le même homme.

— Probablement, dit Samantha.

Tout d'un coup, elle se sentit très proche de Kathleen, contre toute attente. Elles avaient été toutes deux trompées par le même homme.

— Aimait-il déjà les trains ? demanda-t-elle cyniquement.

— Oui. C'est très courant ici.

— Avait-il des trains miniatures ?

— Non. Il n'aimait que les vrais.

— Eh bien, vous serez sans doute contente d'apprendre qu'il s'est converti aux trains électriques.

C'était une conversation curieuse : les deux femmes ne savaient pas vraiment ce qu'elles devaient se dire pour confirmer l'identification.

— Vous savez, dit Kathleen, je ne suis pas en colère. Il ne m'intéresse plus. J'ai demandé qu'il soit déclaré mort.

— Oui, je sais.

— Pourquoi avez-vous contacté la police ?

— C'est une longue histoire, dit Samantha.

— Avec Kenny, c'est une succession de longues histoires. La boisson, les femmes, le jeu. Même son œil était une histoire compliquée.

— Son œil ?

— Oui, il adorait raconter comment cela lui était arrivé.

— Mais quoi donc ?

— Vous ne savez pas ? Son œil de verre !

— Mais de quoi parlez-vous ?

Samantha avait l'impression d'étouffer.

— Eh bien, de son œil gauche, dit Kathleen. Dites, madame, croyez-vous que nous parlons du même homme ?

Samantha ne répondit pas immédiatement. C'était impossible. Elle regarda à nouveau les photos. C'était Marty, elle en était sûre. Mais Kathleen venait de semer le doute en elle.

— Avez-vous parlé de son œil dans le rapport que vous avez fait à la police ? finit-elle par lui demander.

— Non, je n'ai pas voulu.

— Mais pourquoi ?

— J'ai pensé que, si Kenny revenait, il serait furieux. Il aimait bien en parler lui-même mais se mettait dans une rage folle si c'était moi qui abordais le sujet. Je vous donnerai l'adresse de son médecin si vous voulez.

Elle disait vrai, Samantha en était convaincue. Ce n'était pas Marty. C'était une erreur, une horrible méprise. Ses yeux l'avaient trahie : peut-être désirait-elle trop le retrouver ?

— Ce n'est pas la peine de me donner les coordonnées de son médecin. Nos deux maris ne sont pas le même homme, madame. Je me suis trompée. Je vous prie de m'excuser de vous avoir dérangée.

— Dérangée ? Cela ne me fait plus rien, dit Kathleen. Je reçois environ un appel comme le vôtre tous les deux ans. C'est la vie.

— Merci. Bonne chance.

— Oui, vous de même.

— Je suis désolée, dit Samantha après avoir raccroché. J'étais sûre que c'était lui.

Ses larmes se mirent à couler.

— Ne vous excusez pas. Cela arrive tous les jours. C'est moi qui suis désolé de vous avoir exposée à cette épreuve.

— Je crois qu'il vaut mieux que je parte.

Yang était ému par cette femme.

— Oui. Reposez-vous. Mais restons en contact, d'accord ?

— D'accord, dit Samantha avec un pâle sourire.

Elle savait qu'elle venait de se faire un ami.

— Je me demande si cette femme retrouvera un jour son mari, ajouta-t-elle.

Yang ne pouvait pas répondre : il voyait tant de tragédies que les problèmes d'une femme abandonnée lui semblaient mineurs. Il la raccompagna jusque dans l'entrée.

— Ça va, dit Samantha. Ne vous inquiétez pas.

Mais Yang était toujours soucieux.

— Je peux vous faire raccompagner dans un fourgon, si vous voulez.

— Non, merci. Je n'aimerais pas être vue dans un fourgon de police. Mais je n'ai rien contre la police, se reprit-elle.

— Je comprends, dit Yang en riant. Je n'aimerais pas cela non plus. Puis-je au moins vous appeler un taxi ?

— Oui. Merci.

Ils descendirent dans l'entrée. Samantha bouscula un homme qui se dirigeait dans l'autre sens.

— Pardon.

— Ce n'est rien, répondit Cross-Wade en continuant son chemin.

Samantha rentra chez elle épuisée. Elle raconta à Lynne qu'elle avait fait des courses et qu'elle avait regardé les vêtements de bébé, et que cela l'avait fatiguée. Puis elle s'allongea et s'endormit avec la conviction qu'elle avait tout essayé. La police était son dernier recours. Bien sûr, elle pouvait engager un détective privé mais courait le risque que Marty s'en aperçoive ; et il lui semblait d'autre part beaucoup trop rusé pour qu'une filature puisse être d'une quelconque utilité. Non, cette visite à Yang était sa dernière démarche. Si cela ne donnait rien, elle devrait probablement passer le reste de sa vie dans le mystère et l'angoisse de ce qui allait arriver. Elle repensa à un film où Henry Fonda était incarcéré pour un délit qu'il n'avait pas commis. Elle était un peu dans la même situation, emprisonnée alors qu'elle n'avait rien fait de mal. Elle ne contrôlait plus son propre destin et vivait dans l'angoisse.

Elle s'endormit dans les larmes puis se réveilla avec un rire nerveux. C'était un cauchemar, une horreur. Et cette nuit, elle devrait faire l'amour avec cet homme. Et continuer les préparatifs pour la soirée donnée en son honneur.

— Ce doit être un modèle 30, expliqua Marty au téléphone dans une cabine du Rockefeller Center.

C'était en effet le genre d'appel qu'il ne faisait jamais du bureau, car il craignait trop d'être entendu par une secrétaire.

— Je ne veux rien d'autre.

Il se surprit lui-même : il n'avait guère l'habitude de perdre son sang-froid et pourtant il sentait la colère monter en lui. Contrôle-toi, se dit-il. C'est dans moins de deux semaines. Tiens jusque-là. Ce n'est pas le moment de lâcher papa. Il ne t'a jamais lâché, lui.

— Doit-il être en état de marche ? lui demanda la voix à l'autre bout du fil.

— Oui. Je n'achète que des appareils qui fonctionnent.

Ce n'était pas tout à fait évident puisqu'il s'agissait d'un récepteur de télévision RCA modèle 30, l'un des tout premiers qui aient existé. C'était la télévision qu'il regardait le 5 décembre 1952 au soir. Il était impossible de trouver ce type de poste dans un magasin de télévisions ni même chez un brocanteur. Il fallait se rendre chez l'un de ces collectionneurs qui les achètent en mettant des annonces dans des revues spécialisées diffusées dans tout le pays.

Marty attendait en tapotant sur la vitre de la cabine, mettant une pièce dans l'appareil de peur d'être coupé. Le type avait l'air de ce genre de passionnés qui connaissent la moindre pièce de chaque modèle et sa fonction.

— Bien, dit-il. J'en ai trouvé un. Je connais quelqu'un qui en a un mais cela va vous coûter assez cher.

— Combien ?

— À peu près trois mille dollars.

— Trois mille dollars !

— Deux mille s'il n'est pas réparable. Mais vous voulez un modèle 30, ce n'est pas n'importe quoi !

— Je sais, je sais, dit Marty en coupant court aux élucubrations de ce type. Quand puis-je l'avoir ?

— Quand pouvez-vous avoir les trois mille dollars ?

— Ce soir, en espèces.

— Alors, venez. Mon ami est ici en ville. Vous préférez être livré ?

— Non, je viendrai le chercher.

— Comment puis-je être sûr que vous allez vraiment venir ?

— Je vous enverrai des arrhes dans une heure par un coursier.

Marty avait du mal à respirer, tant à cause de la chaleur qu'il faisait dans la cabine que de l'excitation de la trouvaille.

— Marché conclu, dit le collectionneur.

Ils échangèrent leurs noms, et Marty donna une fausse identité.

Il avait déjà le magnétoscope et le montage réalisé par une société qui vendait des archives de la télévision. Il avait donc le journal télévisé présenté par Douglas Edwards et sponsorisé par Oldsmobile, qu'ils regardaient le soir du 5 décembre 1952.

Son père avait toujours aimé Doug Edwards.

« Frankie, c'est l'hiver en Corée, lui avait-il dit ce soir-là au moment où Edwards était apparu sur l'écran. Regarde ça. »

Frankie avait regardé ce soir-là et regarderait encore la même émission.

11

— Frankie Nelson, dit Cross-Wade au téléphone. C'était son nom à l'époque mais on peut supposer qu'il en a changé. Nous avons vérifié tous les Frank Nelson du pays sans succès. Cela s'est passé pas loin d'Omaha, dans le Nebraska, le 5 décembre 1952.

Il attendit qu'on lui pose une question à l'autre bout du fil.

— Il n'y a aucune photo utilisable, répondit-il, même du sujet enfant. Alors je suppose que le type a passé un certain temps hors des États-Unis et j'ai pensé que, si le service des passeports surveillait la chose pour nous, cela pourrait peut-être nous aider.

La conversation prit fin. De toutes les pistes utilisées, celle-ci était la plus précaire ; le service des passeports du département d'État n'était pas chargé de participer à des enquêtes criminelles, mais il ne fallait rien négliger.

Cross-Wade savait par expérience que des milliers d'interrogatoires menés pendant plusieurs mois, voire plusieurs années, finissaient par donner des indices utiles. Mais il ne disposait pas de quelques années. Il n'avait que quelques jours.

Un autre jour passa, sans que rien n'avance.

Il jeta un coup d'œil au calendrier. Meurtre moins neuf jours.

Il trouva une pile de fiches sur son bureau : comme d'habitude, Cross-Wade parcourut les rapports concernant les personnes disparues, dans l'espoir de retrouver non pas son « schizophrène à date fixe », mais la victime potentielle aux cheveux châtains. Il avait déjà vérifié un certain nombre de cas de disparitions de femmes correspondant à cette description, mais sans succès. La plupart étaient réapparues ou avaient écrit pour expliquer leur départ, ou bien encore avaient été retrouvées mortes d'une overdose loin de chez elles.

Il parcourut les rapports en détail. Il était à peu près 15 heures et cet après-midi d'automne était très chaud pour la saison. Tout d'un coup…

Il faillit ne pas s'arrêter sur ce rapport impeccable rédigé par le sergent Yang qu'il connaissait et respectait. Le sujet s'appelait Samantha Shaw et l'attention de Cross-Wade ne fut pas retenue par la description physique qui en était faite ; la couleur de ses cheveux n'était en fait même pas mentionnée. Non, c'était un autre détail, beaucoup plus surprenant, qui l'avait attiré. Il appela Yang immédiatement.

— Yang, c'est Cross-Wade.

— Oui, monsieur, dit-il sur le ton militaire qu'il aimait prendre.

— Yang, vous souvenez-vous d'une Samantha Shaw ?

— Absolument, monsieur.

— Bien. J'ai une question à son sujet : que vous a-t-elle dit de cette date du 5 décembre ?

— Rien de plus que ce qui est dans le rapport, monsieur.

— Bien. Dites-moi : vous souvenez-vous de la couleur de ses cheveux ?

— Euh non, monsieur. Elle portait une sorte de turban. Nous nous sommes plus intéressés à la description de la personne disparue.

— Bien sûr, dit Cross-Wade. Cette dame avait-elle l'impression de courir un danger ?

— Non, pas directement. Elle était surtout préoccupée de découvrir la vérité sur le passé de son mari.

— D'accord. Vous avez fait un bon rapport. Il se trouve que je suis sur une affaire dans laquelle la date est importante. Il se peut que je pose quelques questions à cette dame.

— Bien sûr, dit Yang. Mais je me permets de vous suggérer d'y aller délicatement. Cette dame souffre beaucoup.

— La délicatesse est ma seconde nature, vous le savez.

Cross-Wade raccrocha puis appela Loggins par l'interphone. Arthur Loggins arriva quelques minutes plus tard.

— Vous m'appelez, monsieur ?

— Oui, asseyez-vous. Vite.

Loggins devina, en voyant l'étincelle qui luisait dans l'œil de Cross-Wade, qu'il avait un élément nouveau.

— Quelque chose de neuf, monsieur ?

— Peut-être, Arthur, et quelque chose qui risque d'être important. Un rapport de personne disparue.

— Ah bon ?

— Une femme est venue il y a quelques jours avec un problème bizarre. Elle préparait une soirée en l'honneur de son mari, pour son quarantième anniversaire. Et elle a eu l'idée de retrouver ses anciens amis et professeurs.

— Voilà une bonne idée.

— Le problème, c'est que cela a été impossible. Le passé de cet homme était tout simplement inexistant. Tout ce qu'elle a vérifié était faux.

— Intéressant, monsieur. Mais…

— En quoi cela nous intéresse-t-il, c'est cela ?

— Oui, monsieur.

— L'anniversaire de son mari est le 5 décembre.

— Waouh !…

— Or nous savons que l'anniversaire de notre assassin est le 5 décembre.

— C'est peut-être une coïncidence.

— J'en suis tout à fait conscient, Arthur. C'est probablement le cas. Mais c'est la seule piste que nous ayons : un homme dont l'anniversaire a lieu à la bonne date, sans passé et d'un âge qui correspond à peu près au meurtrier.

— Sait-on s'il aime les cheveux châtains ?

— Pas encore. C'est pourquoi j'aimerais que vous alliez voir cette Mme Shaw pour lui poser les questions d'usage.

— J'irai, monsieur.

— Aujourd'hui, Arthur.

Cross-Wade se retrouva plongé dans ses pensées. Le fil était mince, et pourtant il ne pouvait s'empêcher d'éprouver une certaine excitation. Il savait combien il était dangereux d'extrapoler à partir d'un élément aussi léger et tenta de se maîtriser : il avait calculé un jour que, dans la plupart des enquêtes, une piste sur vingt-deux était intéressante. Quel que fût son désir, il ne fallait rien espérer de cette Samantha Shaw.

Loggins prit le métro jusqu'à Central Park West et s'arrêta pour acheter le *New York Post* et un paquet de chewing-gums. Le gros titre du *Post* faisait dans le sensationnel, comme d'habitude : *IL EN TUE DEUX ET EN VIOLE UNE TROISIÈME.*

Loggins connaissait bien le quartier de Samantha : il avait travaillé dans ce commissariat dix ans plus tôt, lorsque l'endroit était encore abordable et la population beaucoup plus jeune. Il n'y était pas revenu depuis trois ans et fut stupéfait du changement : c'était devenu un quartier chic, où il n'était pas rare de voir des nurses promener des enfants et d'où la population d'artistes, de jeunes, de gens comme tout le monde avait complètement disparu. Maintenant que l'argent s'étalait partout, Loggins ne se sentait pas très à l'aise dans son ancien quartier.

Il avait appelé avant de venir pour s'assurer que Samantha était bien chez elle et que son mari n'était pas là. Le portier lui indiqua l'étage et il sonna à l'instant précis où Lynne sortait de chez son amie. Elle pensa que c'était un démarcheur ou un livreur qui apportait quelque chose pour la soirée.

— Qui est-ce ? demanda Samantha automatiquement.

— Détective Loggins, madame.

Il sortit sa carte pendant que Samantha vérifiait dans le judas. Il entendit le bruit d'une chaîne et d'un verrou. La porte s'entrouvrit. Il montra sa carte. À ce moment-là, il vit.

— Mon Dieu !

— Qu'y a-t-il ? demanda Samantha.

— Euh, excusez-moi, dit Loggins en retrouvant son ton officiel. Je pensais juste à quelque chose. Puis-je entrer, madame ?

— Oui, bien sûr.

Loggins ne pouvait pas quitter Samantha des yeux, fasciné par ses longs cheveux châtains. Il décida de ne pas poser de questions, qui seraient de toute façon inutiles. Les longs cheveux châtains changeaient tout, ouvraient toutes les possibilités, établissaient le premier lien avec cette affaire.

— Asseyez-vous, je vous prie.

— Merci, madame Shaw.

— Vous voulez un café ?

— Non, merci. Je viens juste d'en boire un.

Loggins regarda autour de lui : pour lui, cet intérieur était luxueux. Samantha vit qu'il avait remarqué les petits cartons qui étaient disposés en cercle sur la table.

— Je prépare une soirée, expliqua-t-elle. C'est la disposition que j'envisage pour mes invités.

— Oui, j'ai lu le rapport. Je suis désolé de vous déranger avec mes questions.

— Je vous en prie.

Samantha était incroyablement calme et avait même recommencé à rêver que tout se terminerait bien.

— Il faut que j'éclaircisse certains points, dit Loggins. Mais je dois d'abord passer un coup de fil confidentiel.

— À mon sujet ?

— C'est pour le travail, madame.

— Bien sûr. Il y a un téléphone dans la cuisine. J'irai dans la chambre.

— Excusez-moi de vous déranger.

— Ce n'est rien.

Que pouvait-eile faire ? Cet homme voulait téléphoner : on ne dit pas non à un policier. Malgré la gentillesse du sergent Yang, Samantha avait toujours peur de la police. Elle alla s'enfermer dans sa chambre.

Loggins vérifia le numéro de Cross-Wade ; celui-ci décrocha immédiatement.

— Cross-Wade à l'appareil.

— Monsieur, c'est Loggins.

— Oui, qu'y a-t-il ?

— Monsieur, vous ne me croirez pas.

— Quoi donc ?

— Cette dame… Elle a de longs cheveux châtains !

Cross-Wade sursauta comme s'il venait de recevoir la révélation divine : une femme aux cheveux châtains mariée à un homme sans passé dont l'anniversaire est le 5 décembre.

— Nous sommes peut-être sur une piste, Arthur. Attendez-moi là-bas. J'arrive tout de suite.

— C'était exactement ce que j'espérais, monsieur.

Cross-Wade essaya de modérer son enthousiasme dans le fourgon qui l'amenait à Central Park West. Ses cheveux étaient-ils châtains ou roux ? Loggins s'était peut-être trompé. Les deux couleurs pouvaient être très proches et les hommes ne faisaient guère attention à ces nuances. Et puis, c'était peut-être une simple coïncidence. De nombreuses femmes avaient des cheveux châtains, et un certain pourcentage d'entre elles avaient vraisemblablement des maris nés un 5 décembre.

Peut-être aussi cette histoire de passé invérifiable prouvait-elle l'incapacité de cette femme, sa négligence ? Tout était possible et il aurait été fou de tirer déjà des conclusions.

Lorsqu'il fut devant la porte de Samantha, il jeta un coup d'œil instinctif sur le palier : il y avait un parapluie noir dans un porte-parapluie. Mais ce n'était pas un indice très intéressant.

Samantha ouvrit immédiatement la porte. Elle regarda Cross-Wade dans les yeux, déçue par l'apparence banale de ce chef qu'elle imaginait grand et fort comme au cinéma.

— Cross-Wade, dit-il pour se présenter en fixant les cheveux de Samantha.

Ils rejoignirent Loggins dans le salon.

— Vous êtes probablement surprise de me voir arriver si rapidement, madame, expliqua-t-il, et je m'excuse de vous déranger. Mais M. Loggins m'a mentionné un point important au téléphone et je voulais vous parler moi-même.

Loggins en avait peu dit, ne voulant pas empiéter sur les prérogatives du chef, et Samantha ne voyait pas du tout à quoi Cross-Wade faisait référence.

— Madame, nous avons un problème qui est peut-être en relation directe avec votre situation.

— M. Loggins m'a dit que vous travaillez aux homicides.

— C'est exact.

— Quel est le lien avec mon problème ?

— Je vais vous l'expliquer, madame. Mais je dois tout d'abord vous prévenir que c'est une affaire plutôt perturbante et que vous devez vous armer de courage.

— Depuis quelques semaines, je m'attends à tout.

Cross-Wade pesa ses mots pour être à la fois le plus délicat et le plus précis possible.

— Connaissez-vous un homme du nom de Bleuler ?

— Non.

— C'est quelqu'un qui a fait des recherches en psychiatrie. Un homme brillant qui a travaillé sur les différents types de schizophrénie. Vous savez ce que c'est ?

— J'en ai entendu parler, dit Samantha. J'ai suivi un cours de psychologie dans le temps mais je n'ai qu'une idée superficielle de ce que c'est.

— Moi aussi. Il existe une variante qui s'appelle la schizophrénie des anniversaires, qui est assez rare : les gens ne sont perturbés qu'un jour bien particulier, en général en relation avec un événement qui leur est arrivé dans le passé.

— Je vois. C'est un peu comme la tristesse que l'on ressent le jour anniversaire de la mort d'un être cher.

— Tout à fait. Mais cela ne se cantonne pas à de la tristesse. Ces malades peuvent avoir un comportement bizarre.

— Par exemple ?

— Certains peuvent tuer.

Samantha ne réagit pas : l'idée du meurtre ne l'avait même pas effleurée. Elle comprenait la maladie mentale, la trahison, la tromperie. Mais le meurtre arrivait à d'autres, dans un autre monde.

— Que font-ils d'autre ?

— Concentrons-nous sur les meurtres, voulez-vous ? dit Cross-Wade en apercevant la surprise dans les yeux de Samantha. Je sais bien que cela fait peur.

— C'est le moins qu'on puisse dire.

— Il ne faut pas chercher à se préserver de la réalité. Nous recherchons un homme qui souffre de ce trouble : appelons-le un « schizophrène à date fixe ». Cet homme tue chaque année à la même date. Ce jour, madame Shaw, est le 5 décembre.

— Marty ! s'écria-t-elle.

Elle eut l'impression qu'elle allait perdre conscience. Tiens bon, se dit-elle.

— Je suppose que vous savez que l'anniversaire de mon mari est le 5 décembre. C'était précisé dans le rapport du sergent Yang.

— Oui. C'est cela qui a attiré notre attention. Cela et son passé bizarre. Un autre élément nous a permis de faire le rapprochement aussi.

— Quoi donc ?

— Madame Shaw, l'individu que nous recherchons est un assassin. Toutes ses victimes sont des femmes et elles ont toutes des cheveux châtains.

— Oh non, ce n'est pas possible ! Je peux croire presque tout, mais pas que Marty, mon Marty, s'apprête à me tuer. Je ne le connais peut-être pas aussi bien que je ne le croyais mais tout de même… Pas ça… Non…

Elle s'arrêta et regarda Cross-Wade puis Loggins. Ce n'était pas la première fois qu'ils voyaient quelqu'un réagir ainsi, elle le sentait bien. Ils voyaient tous les jours des femmes qui niaient, qui refusaient la réalité, des mères qui hurlaient que leur fils était un brave garçon avant d'accepter les faits.

— Je sais tout à fait ce que vous ressentez mais je vais vous donner tous les détails pour que vous compreniez.

Cross-Wade se leva et alla s'asseoir près de Samantha pour la réconforter.

— Six crimes ont déjà eu lieu, un chaque année depuis six ans ; et tous ont été commis avec un instrument pointu et une chaîne de vélo. Puis-je vous demander si votre mari a des armes ?

— Pas que je sache.

— A-t-il une chaîne de vélo ?

— Il n'a pas de vélo.

— Bien. Ces crimes ont été commis en Amérique du Nord et les trois derniers à New York ou dans les environs. Nous supposons qu'une autre femme sera tuée le 5 décembre.

— C'est le jour de la fête. Marty a insisté pour qu'elle ait lieu ce soir-là.

— Il a insisté ?

— Oui, alors que c'était un soir de semaine.

Cross-Wade trouva cela bizarre : tous les meurtres avaient eu lieu la nuit. Pourquoi Marty, s'il était le meurtrier, avait-il choisi d'avoir sa soirée occupée par une fête ? Il avait peut-être prévu de changer de tactique et de tuer dans la journée. Des contradictions commençaient à apparaître mais Cross-Wade ne se découragea pas.

— J'en ai donc déduit que le 5 décembre avait une importance toute particulière pour le meurtrier. J'ai fait rechercher dans les archives et nous avons trouvé ce que nous voulions.

— Marty ? demanda Samantha sur un ton affolé.

— Laissez-moi continuer. Il y a apparemment eu un meurtre près d'Omaha le 5 décembre 1952. La victime était un travailleur agricole sans emploi. Il venait d'acheter un train électrique à son fils…

Samantha sursauta.

— Qu'y a-t-il ?

— Les trains. Marty a acheté des trains.

— De quel genre ?

— Il en a rapporté il n'y a pas très longtemps, les a installés sur le tapis et a même fait une tache. Là-bas.

— Vous a-t-il dit pourquoi il avait acheté ces trains ?

— Il m'a juste dit qu'il en avait toujours eu envie. Que c'était une passion. Il les a fait marcher, moi aussi, puis il les a rangés.

— Je les regarderai tout à l'heure. Continuons. Cet ouvrier au chômage rentra chez lui avec les trains qu'il offrit au petit garçon. Sa femme lui en voulut beaucoup d'avoir dépensé cet argent alors qu'ils en manquaient tant. Une dispute éclata puis s'envenima. La femme frappa son mari à coups de marteau. Celui-ci s'est effondré par terre, toujours en vie. Elle l'a alors étranglé avec la chaîne de vélo de son fils.

— Qu'est-il arrivé aux enfants ? s'enquit Samantha.

— Ils ont été recueillis séparément chez des parents. La mère est morte en prison quelques années plus tard. Nous n'avons pu retrouver aucun membre de la famille : ils ont tous disparu dans la nature. On ne sait pas ce que sont devenus les garçons.

— Comment s'appelaient-ils ?

— Nelson. Le plus âgé s'appelait Frankie Nelson. Mais il a probablement changé d'identité.

— Et pourquoi… ?

— J'y viens. La mère avait des cheveux châtains… Comme vous. Nous pensons que son fils aîné est le schizophrène à date fixe, et que cette date du 5 décembre déclenche une panique incontrôlable dans sa tête. Il cherche des femmes aux cheveux châtains parce qu'elles représentent sa mère : elles deviennent probablement sa mère dans son esprit. Le reste de l'année, il est sûrement tout à fait normal. Nous ne savons pas pourquoi il a commencé il y a six ans seulement, mais les experts prétendent que tout est possible dans des cas aussi graves.

— Vous pensez donc que Marty est cet homme.

— Je n'ai pas dit cela, reprit Cross-Wade. Mais il faut approfondir cette piste. Il a à peu près l'âge qui convient… bien que nous n'ayons aucune certitude sur l'âge exact de votre mari. La date du 5 décembre a de toute évidence une grande importance pour lui. Et vous avez les cheveux châtains.

— Pourquoi ne vérifiez-vous pas ?

— Que voulez-vous dire, madame ?

— Eh bien, il y a sans doute un dossier médical, des photos de ce Frankie. Cela permettrait de savoir si Marty lui ressemble.

— Nous n'avons aucune photo. Les albums de famille ont disparu. Les médecins sont partis de là en emportant leurs dossiers. C'était un petit village. Nous avons des archives du procès mais cela ne nous dit pas grand-chose. Nous supposons donc que Frankie Nelson a quitté ceux qui s'occupaient de lui et a disparu. Tout ce que nous possédons, c'est une photo de presse prise le jour de l'enterrement de son père : mais Frankie et son frère ont été pris de très loin et la photo est très floue. Nous n'avons donc aucun moyen de faire une vérification du passé.

— Je vois.

— Nous n'avons fait que mettre bout à bout des renseignements obtenus au cours d'enquêtes de routine. Mais nous n'avions pas jusqu'à maintenant de vrai suspect. Nous en avons un aujourd'hui grâce à vous, madame, qui avez eu la sagesse de venir nous trouver.

Samantha se sentit tout à coup révoltée. Cross-Wade avait voulu la féliciter mais l'avait en fait blessée. Elle avait attiré des ennuis à Marty. Peut-être les méritait-il. Peut-être. Mais elle avait l'impression d'être une épouse qui trahit son mari. Elle se sentait envahie par une honte insurmontable, tout en sachant qu'elle n'avait aucune raison d'avoir honte. C'était probablement son éducation bourgeoise qui réapparaissait une fois de plus : la famille avant tout ; on lave son linge sale en famille.

Elle en voulait à Cross-Wade d'avoir été le messager d'une telle nouvelle. Ce flic était venu lui dire qu'elle risquait d'être assassinée par son mari qu'elle aimait et respectait, et dont elle portait l'enfant. Mais pour qui se prenait-il pour se permettre de lui dire de telles choses ? Elle ne put maîtriser l'expression d'hostilité et de mépris qui se lisait sur son visage et qui n'échappa ni à Loggins ni à Cross-Wade.

— Je comprends votre réaction, lui dit Cross-Wade sur le ton calme du grand-père qu'il ne serait jamais. Je sais que vous m'en voulez mais je devais vous dire ce que nous savions. C'est une enquête et personne n'est inculpé pour le moment. Mais il faut que vous soyez au courant de la situation. Mon principal souci est d'assurer votre sécurité.

Il avait su trouver les mots justes pour regagner sa confiance.

— Que dois-je faire ? demanda Samantha qui se sentait complètement perdue.

— Pas grand-chose. C'est nous qui devons agir. Nous allons suivre votre mari et étudier son comportement. Peut-être arriverons-nous à discerner ce qu'il prépare, si c'est le cas. Mais j'espère sincèrement qu'il est innocent.

Cross-Wade mentait ; au fond de lui-même, il souhaitait avoir trouvé son homme. Mais il était partagé entre une sympathie réelle pour Samantha et des images de gloire d'une capture héroïque. Il devait néanmoins lui dire ces mots de réconfort que l'expérience lui avait enseignés. Cela faisait partie de son art.

— Je voudrais vous demander la permission de fouiller votre appartement.

— Pourquoi ?

— Pour avoir une idée de la façon dont votre mari vit, cela pourra me donner quelques indications. J'espère trouver aussi certains détails qui rappellent le jeune Frankie Nelson. Et enfin, nous trouverons peut-être un élément dont vous-même ignorez la présence.

— Par exemple ?

— Un marteau et une chaîne.

— Allez-y, dit Samantha.

Elle signa un papier autorisant la fouille qui pourrait être plus tard utilisé par le tribunal. Samantha pouvait très bien être un témoin hostile, impliqué dans les meurtres plutôt que victime : Cross-Wade avait déjà rencontré ce genre de revirement.

— Suivez-moi, s'il vous plaît. J'aurai peut-être quelques questions à vous poser.

Samantha sentit sa colère décroître : elle comprit que sa propre vie était menacée.

À la demande des deux policiers, elle sortit les trains électriques du placard où Marty les avait rangés. Cross-Wade les examina de près.

— Remarquable ! Qu'en dites-vous, Arthur ?

— Lionel. Ce truc date des années 1950.

— Marty vous a-t-il dit pourquoi il avait acheté un vieux train ?

— Il m'a juste dit qu'il préférait les anciens modèles, que l'ancien Lionel était formidable.

— C'est vrai, acquiesça Loggins.

— Arthur, demanda Cross-Wade, y a-t-il trace des trains qui sont à l'origine de la dispute fatale chez les Nelson ?

— Non, monsieur. J'ai lu ce qui concernait cette question. Les trains ont été présentés le jour du procès puis ont été remis à Frankie. Aucune description n'en est faite.

— Et les reçus ?

— Non plus. Il est simplement précisé que le magasin où le train a été acheté a fermé quelques années plus tard.

— Pas de chance. Tout a donc disparu.

Cross-Wade aurait pu ainsi comparer les trains de Marty à ceux qui avaient appartenu à Frankie Nelson, mais cela était donc impossible.

— Madame Shaw, êtes-vous sûre que votre mari a acheté ces trains récemment ?

— Bien sûr. Ils n'étaient pas là auparavant.

— Comprenez-moi bien : je sais qu'ils n'étaient pas là. Mais êtes-vous sûre qu'il ne les cachait pas quelque part ?

— Eh bien…

— Il aurait pu les cacher à son bureau, par exemple.

— À quoi pensez-vous exactement ?

— Ces trains sont peut-être ceux qui ont appartenu à Frankie Nelson lorsqu'il était petit. Ce sont peut-être les trains qui ont été à l'origine de la mort de son père.

Samantha eut un geste de recul, comme si, tout d'un coup, ces jouets devenaient dangereux.

— Mais pourquoi les aurait-il apportés à la maison ?

— Je l'ignore, avoua Cross-Wade. Dites-moi, Arthur, il n'y a pas tant de magasins de trains électriques d'occasion à New York. Prenez la référence de ceux-ci et vérifiez s'ils ont été achetés récemment.

— Bien, monsieur.

Cross-Wade passa dans la chambre : il fut surpris par son agencement bizarre, et surtout par la tête de lit plaquée contre le radiateur et par le bureau qui bloquait la fenêtre. Ses yeux étaient fixés sur l'horrible cadre.

— Intéressant, se contenta-t-il de dire.

— Je sais ce que vous pensez. C'est affreux.

— Tout est question de goût, madame.

— C'est le goût de Marty.

— Pardon ?

— C'est lui qui a voulu réorganiser la chambre ainsi, il n'y a pas très longtemps.

— Quand donc ?

— Il y a deux semaines, je pense.

— Et pour quelle raison ?

— Il a prétendu vouloir essayer un agencement qu'il avait vu dans un magazine de décoration intérieure.

— C'est une plaisanterie !

— Cela n'en avait pas l'air, tout comme les trains.

— Mais pourquoi cet agencement ? Il y avait plusieurs possibilités.

— Je ne comprends pas.

— A-t-il fait autre chose de… bizarre ?

— Non, je n'ai rien remarqué d'autre. Rien d'aussi évident, je veux dire.

— Est-ce son bureau ? demanda Cross-Wade.

— Oui.

— Puis-je regarder à l'intérieur ?

Samantha acquiesça d'un signe de tête. Cross-Wade ne trouva que des papiers concernant son travail.

— Rien d'intéressant. Je m'y attendais d'ailleurs. Qui laisserait des indices dans son bureau ? Seuls les trains permettent d'alimenter nos soupçons. Mais il nous faut poursuivre l'enquête pour dépasser le stade de la simple présomption.

Samantha devait une fois de plus attendre dans le doute, la crainte et les soupçons.

Cross-Wade s'apprêta à partir et lui prodigua les derniers conseils d'usage :

— J'ai besoin de votre coopération, madame.

— Bien sûr.

— Ne changez rien à vos projets afin de ne pas éveiller les soupçons de votre mari. Essayez d'avoir l'air heureuse. Parlez-lui du voyage que vous allez faire. Au fait, avez-vous dit à quelqu'un que vous étiez venue nous voir ?

— Non.

— Très bien. Évidemment, le portier nous a vus. Mais je saurai le convaincre de coopérer. Votre mari ne doit pas savoir que nous sommes venus. Maintenant, pour le 5 décembre…

— Mon Dieu ! C'est bientôt !

— Oui, dans à peine plus d'une semaine. Nos hommes veilleront nuit et jour sur votre sécurité. Nous ferons installer un système d'écoute chez vous. Savez-vous s'il y a des appartements vides à cet étage ?

— Pas ici, mais quelqu'un est absent pour un mois dans l'entrée d'à côté.

— Parfait. Nous prendrons contact avec le syndic : nous devons pouvoir entendre tout ce qui se passe entre votre mari et vous. Si quoi que ce soit d'inhabituel survient, nous serons là en quelques secondes.

Puis Cross-Wade eut ce geste tout à fait extraordinaire pour un détective new-yorkais : il prit la main de Samantha et l'embrassa.

— Je suis très peiné de voir ceci arriver à une dame comme vous.

— Merci, merci beaucoup, dit Samantha qui fut très touchée de ce geste.

— Aidez-nous afin que nous puissions vous aider, conclut Cross-Wade.

C'était toujours sa phrase d'adieu : il en avait poli l'intonation au fil des ans.

Ainsi donc, avec une seule visite au sergent Yang, Samantha Shaw s'était retrouvée au cœur d'une enquête criminelle d'une importance énorme. Toute erreur mettait sa vie en danger. Mais une victoire signifiait la fin de son couple.

12

— Je n'en crois pas mes yeux, dit Samantha.

— N'est-elle pas belle ?

— Oui… Très… Mais que se passe-t-il, Martin Everett Shaw ? Vous montez un commerce d'antiquités ?

— Quoi ?

— Eh bien, les vieux trains électriques, puis ce vieux téléviseur. Je ne comprends pas.

Ils étaient tous deux dans le salon : le vieux modèle 30, tout brillant, était posé sur le tapis. Son grand écran avait jauni avec le temps et le tube était toujours apparent, bien que couvert de poussière, à l'arrière de l'appareil.

— C'est une pièce de collectionneur, expliqua Marty, l'un des tout premiers récepteurs de l'histoire de la télévision.

— Enchantée.

— C'est là-dessus qu'on voyait Oncle Milty.

— Tu m'en vois émue, dit Samantha.

En d'autres temps, elle aurait éclaté de rire en voyant Marty s'enflammer comme un enfant pour ce vieux téléviseur noir et blanc qui ne marchait peut-être même pas. Mais maintenant, c'était différent, et sa première pensée fut d'aller parler de cet achat à

Cross-Wade. Comme les trains, c'était là un objet des années 1950.

— Elle marche, assura Marty. Je l'ai essayée.

— Extraordinaire !

Elle lui parlait mécaniquement, pensant qu'il s'apprêtait peut-être à la tuer.

— Que vas-tu en faire ? demanda-t-elle.

— La brancher. Cela m'a coûté cinquante dollars. Tu verras, les gens aimeront beaucoup cela le soir de mon anniversaire.

Le mot « anniversaire » fit sursauter Samantha qui, tout d'un coup, fut submergée par la peur. Peur de lui ? De Marty ? Oui, bien sûr, elle avait peur de lui : elle venait juste de s'en rendre compte. La barrière affective qu'elle avait érigée en elle venait enfin de céder : elle n'aurait jamais imaginé qu'elle aurait un jour peur de son mari. Peur d'une date sur le calendrier. Et pourtant elle n'acceptait pas encore complètement l'idée que cet enthousiasme déclenché par l'achat d'un vieux téléviseur était un indice aussi inquiétant que Cross-Wade semblait le penser.

— Oui, ce n'est pas mal, finit-elle par dire en espérant clore le débat sur le sujet. C'est original. Mets-le où tu veux.

Marty lui adressa un sourire factice, comme d'habitude.

Ils firent l'amour cette nuit-là, et rien n'avait changé sur le plan physique. Mais pour Samantha, cet acte avait perdu toute valeur émotionnelle : Marty n'était plus qu'une créature s'emparant d'elle comme un animal en chaleur. Elle ne cessa pas un instant de penser aux révélations de Cross-Wade et joua son rôle, comme il le lui avait recommandé, en s'étonnant de pouvoir le tenir.

Le lendemain matin, elle appela l'inspecteur pour le mettre au courant de l'achat du téléviseur. Cross-Wade la rappela peu après pour l'informer qu'un RCA modèle 30 avait été trouvé chez les Nelson après le meurtre.

Un autre indice donc, qui porta un nouveau coup à Samantha.

Mais Cross-Wade prit une précaution supplémentaire : le modèle 30 était très courant dans les années 1950. Des milliers de foyers en possédaient un. C'était peut-être une coïncidence, une de plus.

Il dit aussi à Samantha que Loggins avait fait le tour des magasins de trains d'occasion de New York et que Marty venait effectivement d'acheter le sien : le vendeur se souvenait très bien de lui mais, une fois encore, conclut-il, il fallait être prudent.

Il lui dit enfin qu'il montrait des photos aux amis et aux parents des autres victimes du « schizophrène à date fixe ». Cela bouleversa Samantha : la photo de son mari, comme celle d'un vulgaire assassin, circulait dans ces familles si durement éprouvées. Tout était allé très vite et devenait insupportable. Elle essaya de se dire que ce n'était qu'une enquête, qu'elle devait garder son calme. Mais combien de temps un être humain pouvait-il se contrôler ?

Samantha suivit le conseil de Cross-Wade et se replongea dans les préparatifs des festivités. Mais elle accomplissait des gestes mécaniques, s'acquittait d'une tâche qu'elle s'imposait malgré le choc subi. Elle organisait une soirée pour un homme qu'elle aimait et redoutait à la fois, tiraillée entre ces deux sentiments. Cela lui paraissait curieux de préparer une fête qui pourrait tourner à l'horreur. Elle se sentait isolée, sûre d'être seule à vivre cette terrible aventure. Elle n'avait jamais rien lu de tel et c'était tellement injuste, encore que le mot « injuste » lui semblât un peu enfantin. Il était plus correct de dire qu'elle était victime d'une catastrophe.

Tom Edwards lui proposa son aide : il avait en effet quelques jours de vacances pour lesquels il n'avait rien prévu. Il dit à Samantha qu'il avait été perturbé par ce qu'elle lui avait raconté mais n'avait pas réussi à trouver une solution. Il se mettait donc à sa disposition au moins pour l'organisation de la soirée.

Samantha apprécia ce geste. Tom connaissait mieux qu'elle les relations de travail de Marty et saurait la conseiller pour attribuer les places aux invités et éviter des impairs regrettables. Elle régla les dernières questions de menu et de décoration : ils finirent tous deux par aborder ce que Samantha avait appelé « le problème ».

— Rien de nouveau ? demanda Tom.

— Non. J'ai décidé de laisser tomber.

— Sage décision.

— Je savais bien que vous diriez cela.

— Sam, je vous l'ai déjà dit : ou bien vous oubliez, ou bien vous en parlez à Marty. Vous ne l'avez pas fait, n'est-ce pas ?

— Non.

— C'est bien ce que je pensais, et je suis content que vous ne l'ayez pas fait. Votre couple marche bien, ne prenez pas le risque de tout détruire. Marty a le droit d'avoir un passé qui n'appartient qu'à lui. Forgez-vous votre propre interprétation : disons qu'il était un espion qui a sauvé son pays dans une situation critique. Et c'est peut-être vrai.

— J'ai pensé à cette éventualité, croyez-moi. Au fait, une glace au chocolat vous paraît-elle être un dessert convenable ?

Tom réfléchit un instant.

— Oui, c'est une bonne idée, s'il y a de gros morceaux de chocolat dans la glace. Mais vraiment de très gros morceaux. Le problème, c'est que si c'est une soirée très froide, personne n'aura envie de glace.

— De la mousse au chocolat, alors ?

— Banal, ma chère Samantha.

— Oui, vous avez raison. Bien. Il me faut une petite liste d'airs pour l'orchestre.

— Des grands succès, c'est toujours sûr. Et Marty aime beaucoup ça. Mais il vaut mieux éviter le rock et le country. Donnez aussi quelques titres des Beatles. Je suis allé à une soirée formidable il y a quelques semaines où la musique était très bien choisie. J'essaierai de vous procurer la liste des chansons.

— Merci. Vous êtes adorable. Et vous avez un goût très sûr.

Samantha avait raison : Tom, plus délicat et plus sensible que Marty, avait un goût très sûr dans tous les domaines. Il faisait d'ailleurs tout lui-même chez lui à New York et dans sa petite maison de campagne du Connecticut. Certains disaient qu'il avait une personnalité d'artiste, mais « sensible » lui convenait sans doute mieux. Son célibat donnait au mot « sensible » une signification particulière : Samantha elle-même n'était pas certaine de ses inclinations. Il paraissait « normal » mais ne parlait jamais de femmes et, chaque fois qu'elle avait tenté de lui dire qu'il devrait songer à se marier, il avait immédiatement éludé la question. Elle se sentait attirée par lui, surtout depuis les récents événements, mais avait autre chose en tête que de vérifier ses penchants.

— Quand partez-vous pour le Midwest ? demanda-t-il.

— Nous n'avons pas encore fixé la date exacte. Croyez-vous que ce soit une bonne idée ?

— Bien sûr. Une très bonne idée. Cela arrangera peut-être les choses : Marty vous confiera peut-être un ou deux secrets.

— Vous croyez ?

— Pourquoi pas ?

Samantha eut alors envie de lui parler du bébé. Après tout, elle avait déjà annoncé la nouvelle à la police ; pourquoi pas à Tom ? Mais elle avait toujours envie, malgré tout, d'annoncer l'événement pendant la soirée et ne pouvait se résoudre à en parler à Tom avant Marty. Elle ne put toutefois résister à une autre tentative pour percer le mystère du passé de son mari.

— Tom, hasarda-t-elle après un long silence, avez-vous été surpris lorsque Marty m'a épousée ?

— Pourquoi cette question ?

— Je veux juste savoir.

— Je ne me souviens pas. Je ne suis pas tombé par terre sous le coup du choc. Ce que je veux dire, Sam, c'est que cela faisait quelque temps déjà que Marty parlait de vous en des termes très élogieux.

— Oui, je m'en doute.

— Et puis Marty voulait se stabiliser. Il aime les enfants, vous savez.

— Je sais, dit Samantha en faisant un effort pour ne pas parler du bébé.

— Non, je ne pense pas avoir été surpris. L'avez-vous été lorsqu'il vous a demandé de l'épouser ?

— Je le sentais venir.

— Oui, les femmes ont du flair pour ce genre de chose.

— Est-il heureux, Tom ?

— Dites donc, je pensais que l'on ne parlait plus de tous ces problèmes.

— Ce n'est pas un problème, Tom. C'est une question, tout simplement. Toutes les femmes veulent savoir cela.

— Ne vous dit-il pas qu'il est heureux ?

— Si, bien sûr. Mais il a peut-être des ennuis qu'il vous confie. Je ne voudrais pas paraître curieuse, mais…

— Sam, Marty Shaw est un homme heureux. Et grâce à cette soirée, il le sera encore plus. Il ne parle que de cela, à tel point que je ne le supporte plus en ce moment ! Finissons-en rapidement avec cette fête, ajouta-t-il en riant.

Samantha se mit à rire elle aussi : elle voulait oublier tous ses soucis.

— Connaissez-vous cet homme ? demanda Cross-Wade, assis près de la cuisinière où mijotait un ragoût.

Alice Carrione éclata en sanglots en murmurant : « Maryanne ».

Cross-Wade patienta : il ne fallait pas la bousculer, surtout pas dans cet état. Il essaya de se mettre à sa place : une mère heureuse, et puis, un soir, un policier vient lui annoncer que sa fille, son seul enfant, a été trouvée morte sur un parking du Queens. Le chagrin ne passerait jamais : il ne ferait qu'empirer. Toute évocation du crime lui arrachait des larmes. Cross-Wade voulut lui donner tout le temps qu'il lui fallait.

— Je suis de tout cœur avec vous, dit-il. Une jeune femme si belle. Je partage votre colère : c'est pour cela que je veux capturer l'animal qui a fait cela.

Il regarda la mère de Maryanne Carrione : âgée de cinquante-quatre ans à peine, elle avait l'air d'en avoir dix de plus. La disparition de son enfant l'avait détruite physiquement. Il sentit le vide dans cette petite maison de Brooklyn, quartier où la population était très unie et le crime fort rare.

Mme Carrione se reprit et regarda la photo de Martin Everett Shaw que Cross-Wade avait apportée.

— Je me permets de vous reposer la question : vous souvenez-vous de cet homme ? L'avez-vous vu en présence de votre fille ?

— Maryanne avait beaucoup d'amis, si vous voyez ce que je veux dire.

— Tout à fait.

— De très beaux hommes. Tous.

— Cela ne m'étonne pas.

— Je ne suis pas sûre de connaître celui-ci. Elle ne les amenait pas tous à la maison. Elle les voyait parfois au travail, surtout pendant la semaine.

— Parliez-vous d'eux avec Maryanne ?

— Bien sûr. Comme le font toutes les filles avec leur mère. Ce qu'ils faisaient comme métier, leurs projets pour l'avenir.

— En a-t-elle connu qui étaient intéressés par les relations publiques ?

— Quelques-uns sans doute. C'est assez courant.

— Certains étaient-ils passionnés de trains ?

— De trains ?

— Oui. Certains hommes ont cette passion.

— Je ne me souviens pas.

— Maryanne vous a-t-elle jamais parlé d'un ami à elle qui aurait fait ses études dans un institut de journalisme ? Ou qui aurait grandi dans l'Indiana ?

— La plupart des jeunes gens qu'elle fréquentait étaient originaires de New York, dit-elle après quelques instants de réflexion. Nous sommes une famille italienne, vous savez. Nous n'aimons pas l'exotique.

— Ah, l'Italie ! s'exclama Cross-Wade. Comme je vous comprends !

— Mais certains venaient sans doute d'ailleurs. Je ne me rappelle pas.

— Avaient-ils été dans l'armée ?

— Oui, la plupart d'entre eux.

— Vous souvenez-vous où ?

— Non. Pensez-vous que l'homme de la photo est l'assassin de ma fille ?

— Nous ne savons pas, madame.

— Je voudrais la voir encore une fois.

Cross-Wade savait que c'était inutile : les personnes interrogées demandaient très souvent à regarder une seconde fois la photo lorsqu'elles apprenaient que c'était celle d'un suspect. Les gens étaient toujours prêts à aider ; ils voulaient avoir l'honneur d'avoir fait mettre un meurtrier sous les verrous. Mais la première réaction à une photo était en général la bonne.

— C'est difficile à dire, reconnut-elle.

Cross-Wade partit. Il avait une liste de rendez-vous avec des amis et des parents de victimes. Il avait également envoyé la photo de Marty aux commissariats de police qui enquêtaient sur les crimes du « schizophrène à date fixe » à l'extérieur de New York, mais en vain. Il se demanda même si les photos avaient été vraiment montrées car il savait combien la police rechignait à mener l'enquête pour des crimes qui ne faisaient plus la une de l'actualité. C'était frustrant, et Cross-Wade n'admettait pas un tel laxisme. Et la coopération entre les divers services de la police dépendait du désir de s'impliquer de chacun.

Il s'arrêta à Riverdale, où habitait le frère de l'une des victimes. Le corps de cette fille avait été retrouvé près de Greenwich dans le Connecticut. Son frère, Steve Lewis, un jeune chômeur de vingt-deux ans, accueillit Cross-Wade à moitié nu, avec une bouteille de bière à la main. Ce n'était pas tout à fait le fils que Cross-Wade aurait pu rêver d'avoir, mais le détective ne fit aucun commentaire en entrant dans cet appartement sens dessus dessous. Il savait bien qu'il ne fallait pas afficher de mépris pour un témoin éventuel, ne pas l'effrayer, ne pas éveiller son hostilité ou ses soupçons.

— Avez-vous déjà vu cet homme ? lui demanda-t-il en lui présentant la photo de Marty.

— Ouais, dit Lewis qui continuait à boire sa bière.

— Où donc ?

— Où ça ? Sais pas. J'l'ai déjà vu.

— J'ai besoin de savoir où, insista Cross-Wade.

— Vous voulez de la bière ?

— Non, merci.

— Je situe pas ce type, reconnut finalement Lewis.

— Était-il avec votre sœur ?

— Qui sait ? Je voyais pas beaucoup ma sœur. Voyez ce que je veux dire ?

— Je pense.

— Elle était pas… d'accord avec ma façon de vivre. Voyez ce que je veux dire ?

— Je pense toujours.

— Elle traînait avec des types qui avaient fait des études. Je la voyais quand j'allais chez ma mère.

— Y amenait-elle ses copains ?

— Ouais, ouais. Ma mère voulait les voir. Elle était pas très moderne. Ouais, poursuivit Lewis en regardant encore la photo. Ouais. Je le connais. Ma sœur est sortie avec lui.

— Vous êtes sûr ? demanda Cross-Wade en gardant son calme.

— Vous m'avez posé la question, oui ou non ?

— Comment s'appelait-il ?

— Euh… Voyons… Il s'appelait Arnie ou quelque chose dans ce genre.

— Marty ?

— Oui, c'est ça.

— Son nom de famille ?

— Me rappelle pas.
— Shaw ?
— Possible.

Cross-Wade avait donc trouvé un homme qui se souvenait de Marty Shaw et l'avait vu en compagnie de sa sœur ; il lui posa encore quelques questions avant de prendre congé. Dès qu'il fut dans l'entrée de l'immeuble, il barra le nom de Lewis sur sa liste : il ne l'avait pas cru un seul instant. L'homme faisait partie de ces gens à qui on peut montrer n'importe quelle photo et qui reconnaissent toujours la personne. On peut leur citer n'importe quel nom, ils s'en souviennent toujours. C'était une pure perte de temps. Cross-Wade avait su d'instinct que ce gamin dirait n'importe quoi. Sa longue carrière lui avait permis d'apprendre à discerner les menteurs des dix pour cent restants. Il ne savait que trop que certaines personnes risquaient la prison, et purgeaient parfois même des peines, à cause de gens comme ce Steve Lewis.

Il passa encore une journée à interroger des amis et des parents de victimes : il voulait le faire lui-même pour « sentir » leurs réponses, leurs réactions devant la photo de Marty. Mais cela ne donna rien. Certains avaient l'impression d'avoir déjà vu cet homme, sans plus. Pour d'autres, le nom de Marty Shaw était familier, mais là encore, le schizophrène meurtrier utilisait, selon toute probabilité, de fausses identités. Cross-Wade savait aussi que l'assassin ne connaissait peut-être pas ses victimes, qu'il les avait peut-être suivies et tuées un 5 décembre à cause de la couleur de leurs cheveux.

C'était le 28 novembre. Le jour de Thanksgiving.

Cross-Wade était tellement absorbé par cette affaire qu'il n'y pensa même pas. Il n'avait toujours que des soupçons et des coïncidences à propos de Martin Shaw.

C'était le premier Thanksgiving que Marty et Samantha passaient ensemble. Mais comme celui-ci n'avait pas de famille et que celle de sa femme était loin, la fête chez eux fut un peu différente. Ils avaient décliné une invitation chez Lynne et se contentèrent de regarder passer la parade devant leur immeuble puis de manger la dinde traditionnelle. La paix qui régnait dans leur appartement contrastait avec la tempête qui les agitait tous deux.

29 novembre.

Encore un échec pour Cross-Wade. Désireux de ne rien négliger, il avait envoyé la seule photo des deux enfants Nelson prise le jour de l'enterrement de leur père à un laboratoire spécialisé du New Jersey qui utilisait la méthode mise au point par Minolta au Japon : à partir de vieux clichés, les techniciens pouvaient « projeter » les images dans le futur et obtenir ainsi la photo de ce qu'étaient devenus les gens en vieillissant. Mais cela ne fut d'aucune utilité pour Cross-Wade, car la photo qu'il leur avait envoyée était beaucoup trop floue et le contour des visages beaucoup trop imprécis.

30 novembre.

Loggins entra dans le bureau de Cross-Wade à midi.

— Rapport de surveillance, lui annonça-t-il.

Loggins venait de suivre Marty toute la matinée et avait été relayé par un autre sergent pour l'après-midi et la soirée.

— Rien de spécial ?

— Non, monsieur. Il est tout à fait normal.

— Normal… répéta Cross-Wade.

— Oui, monsieur. Le sujet…

— La personne, Arthur. La personne. Tâchons d'être civilisés ici.

— Excusez-moi, monsieur. Cette personne, donc, se lève à une heure normale et se rend à son bureau, dont vous avez l'adresse. Elle prend parfois un taxi, mais le plus souvent va à pied. Cela dépend du temps.

— S'y rend-elle parfois en compagnie de quelqu'un ?

— Non, monsieur. La personne travaille en général dans son bureau jusqu'à midi trente puis va déjeuner.

— En général ?

— Oui. Elle a parfois des rendez-vous de travail : dans ce cas, nous vérifions où elle va, mais ce sont des sociétés avec lesquelles elle traite. Lorsque la personne déjeune, c'est toute seule ou avec des collègues. Tout est très normal. Bien sûr, elle fait parfois des courses, mais les magasins dans lesquels elle se rend ne présentent pas d'intérêt pour nous.

— Les rapports de nuit sont à peu près semblables, je suppose ?

— Oui, elle rentre chez elle, et c'est tout.

— Nous n'avons donc pas avancé d'un pouce depuis l'entretien avec Mme Shaw, dit Cross-Wade.

— Je le crains.

— Il y a autre chose, Arthur. Les gens comme cette personne, qui souffrent de contraintes mentales, ont généralement des rituels bien définis. N'est-ce pas le cas ?

— Je suppose, monsieur.

— Ce meurtrier a assassiné des femmes qu'il connaissait à peine ou pas du tout. Et nous sommes là à théoriser sur le fait que sa prochaine victime sera sa femme. Mais c'est tout à fait différent cette fois-ci. Pour la première fois, il attirerait l'attention sur lui, serait obligé de fuir alors que nous avons son nom. Pourquoi agirait-il ainsi ?

Loggins se contenta de hausser les épaules, incapable de répondre à cette question.

— Vous savez, Arthur, poursuivit Cross-Wade, je pense que nous nous trouvons là en présence de plusieurs coïncidences. Shaw n'est peut-être pas notre homme. Dieu sait que c'est déjà arrivé dans le passé et que c'est pour cette raison que nous arrêtons parfois un innocent. Mais c'est la première fois que je vois un tel concours de circonstances : les trains, le 5 décembre, les cheveux châtains de sa femme. C'est un assassin habile, vous savez. Voyez comme il est fort pour faire disparaître les empreintes digitales chaque fois. C'est un homme intelligent, réfléchi. Un malade, certes, mais un jour par an seulement. Il est peut-être trop fort pour nous.

— Trop fort pour vous, monsieur ? demanda Loggins.

— On va voir, répondit Cross-Wade qui avait besoin de ce compliment. Nous avons encore cinq jours. Cinq jours pour sauver une vie.

13

Le 1er décembre, Cross-Wade se sentit déprimé.

— Nous voilà en décembre, dit-il à Loggins. J'ai l'impression d'être moi aussi un « schizophrène à date fixe ». Cette date m'obsède. La dépression est le symptôme le plus commun de la maladie, ajouta-t-il sans plaisanter.

Son équipe poursuivit l'enquête et il eut plusieurs entretiens téléphoniques avec des parents de victimes. Les rapports de surveillance arrivaient toutes les deux heures mais montraient un homme tout à fait normal.

Ce fut pourtant au cours de cet après-midi du 1er décembre que l'enquête prit un nouveau tournant. Cross-Wade reçut enfin l'élément qu'il redoutait et souhaitait à la fois, et qui allait lui permettre de répondre à la question qui le hantait depuis son entretien avec Samantha : qui était Martin Shaw ?

Il pensait que le dossier médical du jeune Frankie Nelson s'était égaré mais avait tout de même demandé à la police d'Omaha de ne pas abandonner les recherches. Le 1er décembre, il reçut par exprès une grande enveloppe marron qui contenait une lettre expliquant que le dossier médical de Frankie Nelson avait été retrouvé.

Les experts de la police comparèrent rapidement le dossier à celui que fournit le médecin de Marty ; ils examinèrent la couleur des yeux, les rides, les cicatrices.

Les deux dossiers ne correspondaient pas à la même personne. C'était là une preuve irréfutable.

Pour Cross-Wade, c'était la fin d'une piste ; il dut se faire violence pour ne pas sombrer dans le désespoir. Mais avec la discipline d'un brave soldat, il appela immédiatement Samantha Shaw.

Samantha, épuisée par la grossesse, les préparatifs de la soirée et ses difficultés conjugales, dormait au moment où le téléphone sonna.

— Allô ?

Il sentit qu'il l'avait réveillée.

— Cross-Wade à l'appareil.

— Oui ?

— Madame Shaw, j'ai des nouvelles pour vous.

Samantha se contracta : c'était à propos de Marty, de mauvaises nouvelles qui allaient porter le dernier coup à l'édifice chancelant de son mariage.

— Allez-y, je vous en prie, dit-elle courageusement.

— Martin Shaw n'est pas l'homme que nous recherchons.

Ce fut là un choc tout à fait inattendu.

Samantha regarda le téléphone comme pour chercher confirmation de ce qu'elle venait d'entendre.

— Ce n'est pas… Dites-le-moi encore, s'il vous plaît.

— Je vous le répète : votre mari n'est pas notre homme. Nous avons une preuve irréfutable. Tout a été une suite de coïncidences, c'est tout.

Samantha se sentit soulagée : elle eut l'impression qu'on venait de lui enlever le poids qui pesait sur elle. Marty n'était pas un assassin ; il n'était pas la personne recherchée par la police. C'étaient là de bonnes nouvelles qui lui permettaient de préserver son mariage. Mais sa joie ne dura guère : certes, il n'était pas ce monstre que poursuivait Cross-Wade, mais alors, qui était-il ?

— Je me sens soulagée, dit-elle, mais qui pourra me dire qui est vraiment mon mari ? Vous savez probablement quelque chose à son sujet pour en être arrivé à cette conclusion.

— Hélas ! non. Nous avons appris qui il n'était pas grâce au dossier que nous venons de recevoir. Mais pour ce qui est de vous, vous êtes revenue à la case départ.

— Je suppose.

— Madame Shaw, essayez de voir la situation d'un œil positif : vous êtes en sécurité. Dans l'inconnu mais en sécurité, et c'est très important.

— Oui, bien sûr.

— Je suis à votre disposition, madame. N'hésitez pas à m'appeler si vous avez besoin de moi. Bien que je sois aux homicides, je peux peut-être vous faire quelques suggestions.

— Je vous remercie, dit Samantha. Je suis très touchée. Vous savez, c'est étrange, mais j'espérais presque que vous me diriez que Marty était l'homme en question et que vous me donneriez quelques détails sur son passé.

— Je comprends tout à fait, dit Cross-Wade. Nous voulons tous des certitudes. L'incertitude nous tue.

— Oui, c'est vrai.

— Bonne chance, madame Shaw. J'espère que vous ne tarderez pas à trouver la réponse.

— Merci beaucoup pour votre aide, dit Samantha avant de raccrocher.

Elle aurait voulu prolonger la conversation, parler de son problème plus longuement avec Cross-Wade, mais elle sentit que ce n'était pas le moment : cet homme devait retrouver un assassin. Elle reprit donc ses préparatifs. L'inspecteur avait raison : elle était de nouveau à la case départ. Mais au moins n'avait-elle plus à redouter d'être tuée par son mari.

Cross-Wade ferma le dossier de Martin Everett Shaw, fit cesser la surveillance à laquelle il était soumis et se mit à la recherche d'un nouveau suspect. Sans aucun espoir.

Marty s'inquiétait toujours pour ces coups de téléphone que Samantha avait donnés. Poursuivait-elle ses recherches ? Il le saurait grâce à la prochaine facture de téléphone, mais seulement après le 5 décembre. Il eut un instant la tentation d'appeler la compagnie de téléphone pour lui demander de procéder à une vérification mais craignit d'éveiller des soupçons et décida d'attendre.

À partir du 1er décembre, toutefois, les questions cédèrent le pas à l'exhortation intérieure. Il ne cessait de se répéter qu'il devait tenir bon. Pour papa. Tu peux tenir bon pour papa, n'est-ce pas, Frankie ? Tu peux faire n'importe quoi pour papa.

Il se rendit dans unc bijouterie de Rockefeller Center : la vendeuse, une jeune immigrée russe à l'accent très prononcé, lui présenta les colliers en or vers lesquels il s'était dirigé. Elle savait que c'était pour un cadeau, et un cadeau important, un anniversaire, ou la naissance d'un bébé. Cet homme était prêt à payer n'importe quel prix le bijou de son choix.

— Vous cherchez quelque chose de précis ?

— Oui, dit-il au bout de quelques instants. Je cherche une chaîne en or avec un pendentif : une pierre rouge sertie.

— Je vois, dit la vendeuse. Je suppose que c'est un cadeau pour une personne à qui vous tenez tout particulièrement.

— Tout à fait.

— Suivez-moi, dit-elle en se dirigeant vers un tiroir d'où elle sortit un plateau de pendentifs et de chaînes en or.

Deux ou trois correspondaient à ce que recherchait Marty.

— Ce sont de très beaux bijoux entièrement garantis.

— Oui, je sais, dit Marty. J'ai déjà eu l'occasion de venir chez vous.

Il regarda longuement les bijoux et replongea dans le passé : papa avait dû économiser pendant longtemps pour offrir ce pendentif à maman et elle n'avait même pas dit merci. Il n'était pas aussi gros que celui de sa sœur, avait-elle marmonné. Mais elle l'avait porté : elle le portait ce soir-là, le 5 décembre, et il avait balancé lorsqu'elle avait levé le marteau. Il avait balancé très fort au bout de la chaîne.

Les yeux de Marty se posèrent sur un bijou en particulier.

— Il est très beau. Combien coûte-t-il ? se sentit-il obligé de demander.

— Cent vingt-cinq dollars plus la TVA, lui dit la vendeuse avec un sourire qui signifiait qu'elle approuvait son choix.

Elle approuvait d'ailleurs toujours les choix qui dépassaient cent dollars.

— Très bien.

Marty tendit sa carte American Express, sachant que cette facture ne serait jamais payée.

À sa demande, le bijou fut soigneusement empaqueté dans une boîte blanche ornée d'un ruban bleu. Samantha porterait ce bijou pour la soirée : tout serait en place.

Marty retourna à son bureau et, comme il le faisait souvent en cette période de rituels, il ferma sa porte et demanda à ne pas être dérangé au téléphone. Puis il se mit à écrire une lettre à la seule personne qui avait vraiment compté dans ses quarante années d'existence, et dont il sentait la présence partout où il allait.

Cher papa,

Le jour approche. N'est-ce pas merveilleux ? J'ai eu quelques problèmes avec Sam : elle sait sans doute que j'ai inventé la majeure partie de ce que je lui ai raconté. Mais elle m'aime, donc elle n'est pas une menace. Je fais tout ce que je peux pour toi. Un jour, nous nous retrouverons.

Ton fils qui t'aime

Frankie

P-S : J'ai les trains.

Il rangea la lettre dans le coffre puis rouvrit sa porte et sonna quatre fois à l'interphone. Lois arriva immédiatement.

— Lois, je sais que vous avez une grande famille et beaucoup d'achats de Noël à faire. Prenez deux ou trois jours de congé avant les fêtes. Quand vous voulez.

— Merci, dit Lois, très touchée par ce geste. Merci infiniment.

Marty sourit en rougissant : il aimait vraiment faire plaisir.

— Ce n'est rien. Vous avez toujours été une aide précieuse et je sais bien que je demande beaucoup parfois. Alors, voilà, je ne savais pas quoi vous offrir. Faites-vous plaisir. Achetez-vous quelque chose qui vous plaise vraiment, dit-il en lui tendant un billet de cent dollars.

Marty se sentit très bien.

Le 1er décembre passa, puis le 2.

Tandis que Spencer Cross-Wade désespérait de mener à bien son enquête, Martin Shaw se préparait à célébrer le dernier rituel avant le grand jour. Il téléphona tout d'abord à Samantha du bureau le 3 au matin, avec une voix pressante, pleine de regret.

— Sam, tu ne sais pas ?

Samantha était assise au milieu des tables qui venaient d'être livrées. Elle n'avait jamais entendu ce ton dans la voix de Marty qui présageait de mauvaises nouvelles.

— Qu'y a-t-il ?

— Un petit problème à Saint Louis. L'un de nos clients passe au tribunal. Je dois y aller tout de suite.

— Marty !

— Ne t'inquiète pas pour la soirée. Je serai de retour dans vingt-quatre heures. Aucun client au monde ne me fera rater l'événement.

— Je suis soulagée. J'ai cru…

— Sam, voyons, tu passes avant le travail.

Juste un instant, il redevint l'ancien Marty, doux et sentimental, affectueux et prévenant, celui que Samantha voulait tant voir ressurgir du mystère obscur qui l'avait enseveli.

— Où vas-tu passer la nuit ? demanda-t-elle en saisissant un papier et un crayon.

— Je ne sais pas encore. Mais je serai de toute façon impossible à contacter : mon client ne prend pas d'appel à son bureau et a réservé une chambre d'hôtel pour éviter la presse. Je dois rester avec lui mais je t'appellerai dès que je pourrai.

— D'accord.

— Euh… Sam… Le personnel ne sait pas pourquoi je pars. Moins de gens sauront, plus notre succès sera assuré. Je leur ai simplement dit que je partais pour une conférence. Souviens-t'en si tu appelles.

— Ne t'inquiète pas. Je suis vraiment désolée que tu aies à partir juste avant la soirée.

— Moi aussi. Tu sais, je voulais être à la maison ce soir pour te donner un coup de main. J'attendais cela avec impatience. Ah ! les salauds ! On pourrait croire que, avec tous ces avocats, ils seraient à l'abri de ce genre d'ennuis.

Il avait l'air si sincère, plein d'émotion, la voix tremblante de colère.

— Ce n'est pas grave, dit Sam. Tu seras là demain, chéri. Je m'occuperai de tout, tu sais bien.

— Bien. Ne te fatigue pas, d'accord ? Ce n'est pas le bal inaugural !

— Non, je ne me fatiguerai pas, surtout pas en ce moment.

Elle s'arrêta à temps : elle avait failli parler du bébé.

— Pourquoi en ce moment ?

— Avec le traiteur qui s'occupe de tout, je ne risque pas de me fatiguer.

Marty l'embrassa au bout du fil, ce qu'il faisait rarement. C'était affectueux, émouvant : l'optimisme de Samantha réapparut. Elle se prit à espérer une fois de plus que ses secrets soient nobles, pour la bonne cause. Peut-être pouvait-elle en être fière ? C'était toujours peut-être, mais Samantha lui renvoya son baiser.

L'avion de United se posa à Saint Louis au début de l'après-midi et permit à Marty d'avoir une excellente vue du grand arc, le symbole de la ville. Quelques instants plus tard, il entra dans l'aéroport dont il ne franchit pas la limite.

Sa secrétaire lui avait réservé son billet pour Saint Louis au nom de Martin Shaw. Mais lorsque Marty était arrivé à l'aéroport de La Guardia, il avait pris et payé en espèces un billet au nom de Frank Nelson : c'était son tribut, son hommage à son nom de famille et à son père. Il avait pris un billet pour aller de Saint Louis à Omaha. Il était 13 h 55 : son avion pour

Omaha partait à 14 h 30. Il était Frank Nelson maintenant. Il était redevenu Frank Nelson et ressentait déjà cette merveilleuse impression d'être de retour. Il vérifia que ses lunettes de soleil étaient bien dans sa poche : dans un avion pour Omaha, il courait le risque d'être reconnu, même aussi longtemps après son départ.

Une fois dans le Boeing 727 qui le ramenait « chez lui », Marty sentit son cœur battre très fort dans sa poitrine. Il jeta un coup d'œil aux autres passagers. Qui pouvait deviner ? Qui pouvait savoir ce qui se passait dans sa tête ? Comment les passagers réagiraient-ils s'ils apprenaient qu'un assassin coupable de plusieurs crimes était à bord de leur avion ? Et qu'il exécutait un rituel qui devait se terminer par le meurtre d'une jeune femme innocente dans un appartement new-yorkais ?

— Désirez-vous quelque chose à boire, monsieur ? lui demanda l'hôtesse.

— Non, merci.

Marty savait qu'il ne pourrait rien avaler. Il regarda le paysage par le hublot : des centaines de kilomètres verdoyants. La verdure du Midwest où il avait grandi et où il avait été meurtri pour la vie.

— Vous habitez Omaha ? lui demanda son voisin, un vieil homme avec une moustache grise épaisse.

— Euh, non… Je suis en visite.

Le Boeing fit une embardée soudaine dans un trou d'air, et le vieil homme hoqueta.

— Mauvais voyage, dit-il.

— Ouais.

— Combien de temps avez-vous habité Omaha ?

— Comment savez-vous… ? demanda brutalement Marty.

— Ne le prenez pas mal. J'ai reconnu votre façon de parler. Je reconnais la région des gens avec quelques mots seulement. On ne peut jamais faire disparaître complètement un accent. Vous vivez probablement sur la côte Est.

— Oui.

— C'est bien cela. Lorsque les gens partent sur la côte Est, ils essaient toujours de masquer leur accent. C'est dommage, jeune homme. Omaha est une belle ville : vous devriez être fier d'en être originaire, dit-il sur un ton sermonneur.

— J'en suis fier. Mais je suis parti quand j'étais enfant et j'ai perdu mon accent petit à petit.

— Moi, j'ai passé toute ma vie ici. Je n'ai pas besoin de partir.

Merveilleux, se dit Marty, je suis tombé sur un chauvin. Il n'osa pas changer de place mais n'avait aucune envie de poursuivre la conversation.

— De quel quartier venez-vous ? poursuivit le type, qui exhalait une forte odeur de scotch.

— Du Nord, répondit Marty en se plongeant dans la lecture d'une brochure qui se trouvait dans la pochette devant lui.

— Moi aussi.

Allons bon, j'avais besoin de ça ! pensa Marty. Puis il eut un frisson : peut-être le type l'avait-il reconnu ? Peut-être l'avait-il connu enfant ? Mais peut-être avait-il simplement l'impression de l'avoir déjà vu et cherchait-il à retrouver l'endroit ?

— C'est amusant, commenta-t-il sans lever les yeux.

— Comment vous appelez-vous ?

— Harvey, dit Marty après un instant d'hésitation. Len Harvey.

— Moi, je m'appelle Durant.

— Enchanté.

— Vous allez dans ce quartier ?

— Pas tout de suite, dit Marty pour gagner du temps.

— Dommage. Je vous aurais conduit en voiture.

— C'est très gentil de votre part. Vous avez tout à fait la gentillesse des gens d'Omaha.

— Oui, nous sommes comme ça ici. Je vous trouve très sympathique. D'ailleurs je veux bien vous déposer où que vous alliez.

— Oh non, merci. J'ai un rendez-vous professionnel.

— D'accord. J'aurais voulu vous rendre service. Je vous verrai peut-être dans le quartier.

Marty se garda bien de répondre et tenta de se convaincre que ce type n'était qu'un alcoolique inoffensif, mais à éviter soigneusement.

L'atterrissage à Omaha fut mouvementé. Marty se hâta de descendre de l'avion avant Durant pour le semer dans la foule. Celui-ci alla chercher ses bagages alors que Marty avait simplement une petite sacoche contenant le nécessaire pour deux jours : Au revoir, Durant ! À la vôtre !

Marty se dirigea vers le comptoir Hertz où, une fois de plus, il utilisa sa carte de crédit pour louer une voiture.

— Avez-vous une préférence ? lui demanda l'employée.

— Je voudrais une Buick Century.

— Nous n'en avons plus. Mais je peux vous proposer une Chrysler Le Baron.

— Très bien, dit Marty en tendant son permis de conduire et sa carte de crédit.

Il monta dans une vieille Le Baron à deux portes et prit cet itinéraire qu'il connaissait bien pour l'avoir emprunté plusieurs fois. Il conduisit lentement et prudemment afin d'éviter d'attirer l'attention de la police d'Omaha par un accident ou un excès de vitesse. Quelques gouttes de pluie se mirent à tomber. Il vérifia le niveau d'essence : il n'aurait pas besoin de faire le plein au cours de son séjour.

Il alluma la radio, passant d'une station à l'autre. Frank Sinatra chantait *Love and Marriage*, une chanson des années 1950, sur l'une de ces stations qui émettaient des programmes nostalgiques. Cela correspondait tout à fait à son état d'esprit pour ce pèlerinage dans son ancien quartier.

Son ancien quartier : des maisons, certaines très rapprochées les unes des autres, d'autres plus isolées, un air de campagne malgré la proximité de la ville. Ce n'était pas vraiment un quartier, d'ailleurs, mais plutôt une grand-rue avec des petits chemins sans éclairage. Il y avait une rangée de magasins, parmi lesquels un supermarché et une quincaillerie, et l'inévitable bar où les ouvriers de la petite usine locale de pièces détachées d'avions venaient traîner après leur journée de travail. C'était l'un de ces endroits défavorisés que toute personne respectable et ambitieuse souhaite quitter et ne peut s'empêcher de revenir voir, l'un de ces lieux où tout semble immuable, hermétique aux transformations du monde moderne.

Marty retrouva la maison, cette étrange maison de bois peinte en rose comme sa mère l'avait exigé, loin de toutes les autres, sur une petite colline sans arbres.

Une maison abandonnée, déjà partiellement condamnée par des planches clouées.

Sa maison.

14

« Je suis là. Je suis là, Frankie. »

Marty se souvenait très clairement de la voix. Il était au même endroit, à côté de la maison. Papa était rentré en bus, car la voiture était en panne et il n'avait pas d'argent pour la faire réparer.

« Frankie, où es-tu ? »

La voix était joyeuse ; elle l'était toujours d'ailleurs, même en période difficile. Marty courut devant la maison, comme ce 5 décembre-là.

« Salut, papa », avait-il dit.

Papa portait un gros carton.

« Bon anniversaire, Frankie. »

Frankie avait immédiatement deviné ce que contenait le carton. Il ne parlait que de trains, et papa lui avait promis qu'il lui en offrirait un pour son prochain anniversaire s'il le pouvait. Et il le lui avait offert, malgré ses difficultés financières. Une voiture en panne dans le garage et un train électrique tout neuf dans les bras : papa avait toujours été un rêveur impénitent qui ne se préoccupait guère de la réalité.

« Entre, Frankie », lui avait-il dit.

Marty monta les marches de la maison : elle était fermée depuis des années, invendable à cause de ce qui s'y était passé. Il ne pouvait y pénétrer mais pouvait au moins jeter un coup d'œil à l'intérieur. Tout était absolument intact ; même les vandales n'avaient pas osé s'y attaquer, effrayés par les rumeurs de fantômes, d'esprits qui rôdaient dans les parages pour la protéger. Les gens étaient toujours prompts à croire ce genre de balivernes.

La porte s'était ouverte ce jour-là. Maman était là, le visage sévère, comme toujours. Elle avait aperçu le carton de trains et explosé.

« Bon à rien ! » avait-elle crié à papa.

Marty ne voulait pas revoir le reste de la scène. Il voulait simplement regarder à l'intérieur par les fenêtres et se souvenir des jours heureux : les batailles de polochons avec papa et Jamie, son jeune frère ; les airs de banjo que jouait papa et les chansons de guerre qu'il avait ramenées d'Europe ; ses interminables coups de téléphone pour essayer de trouver du travail. Le fil du téléphone était toujours visible sur le mur du salon. Et puis il y avait le vieux coussin poussiéreux qui traînait par terre comme ce soir du 5 décembre. Oui, tout était à la même place, même le téléviseur modèle 30. Les fantômes étaient de merveilleux anges gardiens : rien ni personne ne viendrait déranger ce que papa avait touché.

Tout à coup, Marty entendit une voix pressante derrière lui :

— Vous cherchez quelque chose, monsieur ?

Il se retourna : incroyable, il n'avait pas entendu arriver la voiture, un véhicule de la police d'Omaha.

— J'étais curieux, répondit-il au policier en tentant de sourire. J'aime bien cet endroit, ajouta-t-il en sentant le ridicule de sa première réponse. Cette vieille maison est-elle à vendre ?

— Il faudrait voir l'agent immobilier, dit le flic avec un haussement d'épaules. Cette maison a toute une histoire.

— Ah bon ?

— Une femme a tué son mari ici.

— Mon Dieu !

— Ça a fait beaucoup de bruit, dans les années 1950, je crois.

— Ça donne froid dans le dos.

— Oui. C'est pour cela que personne ne veut acheter cette maison. Mais il y a un agent immobilier à un kilomètre d'ici, si vous voulez d'autres renseignements.

— Merci beaucoup.

— De rien, dit le policier en repartant.

Incroyable, se dit Marty. Un flic s'était approché à moins d'un mètre de lui alors qu'il accomplissait le rituel le plus important avant de tuer une nouvelle fois.

Il décida de se promener dans les alentours, passa devant l'école primaire, le terrain de jeu où des enfants apprenaient les premiers rudiments du football, la maison des Avery où il avait si souvent joué et la maison du Dr Marsh : il s'arrêta devant la maison de bois et de brique qui appartenait maintenant à un dentiste : le docteur avait essayé de sauver papa, c'était un brave homme.

Marty croisa plusieurs personnes qui allaient faire leurs achats de Noël : il en reconnut certaines qui passèrent devant lui sans savoir qui était cet homme qui se protégeait derrière des lunettes noires. Il n'avait de toute façon aucune envie de parler à ces gens qui ne représentaient rien pour lui, qui s'étaient écartés d'eux après l'événement, les avaient évités dans la rue et n'avaient fait preuve d'aucune charité.

Marty sentit une boule se former dans sa gorge. Il savait que le cimetière était juste au coin de la rue et se sentit plus proche encore de papa : le corbillard avait emprunté ce chemin cahoteux, sous les regards curieux des voisins qui n'avaient pas l'habitude de voir un convoi funèbre accompagné par des fourgons de police dépêchés là pour éviter que des cinglés ne viennent importuner la famille. Certains étaient tout de même venus : Frankie avait entendu quelqu'un dire que son père devait être un homme méchant.

Le vieux cimetière était bien mal entretenu : beaucoup de gens avaient quitté Omaha et ne se préoccupaient guère des tombes de leurs proches. L'herbe n'était pas tondue, des pierres tombales avaient été saccagées et des obscénités se lisaient même sur certaines d'entre elles. Marty fut choqué : papa ne pouvait pas reposer dans un endroit pareil ; il méritait mieux, l'une de ces tombes à l'abri des oliviers, entourée de parterres de fleurs. Il serra les dents, sachant bien qu'il avait les moyens d'opérer ce transfert mais ne le pouvait pas. Pour faire transporter un corps, il fallait une autorisation du tribunal et il ne pouvait l'obtenir sans révéler son identité. Même une donation anonyme paraîtrait curieuse. Non, il faudrait en rester là, au moins pour le moment.

Marty refit le même chemin que ce 5 décembre. L'herbe n'était pas piétinée ; seul un chien noir bondit de derrière une tombe en aboyant, un chien errant à qui Marty adressa un sourire et qui partit en courant.

Le vent qui soufflait fit surgir un souvenir qui avait la précision d'une photo dans la mémoire de Marty : là, à gauche, la tombe d'Al Ryder, dont le corps avait été ramené de Corée. Elle était bien entretenue : ses parents étaient probablement toujours en vie.

Et tout à coup… papa. Une petite pierre tombale, la moins chère de l'époque. L'inscription, dont la gravure était moins nette avec le temps, était cependant toujours lisible : John Albert NELSON. 1916-1952. Il n'a pas vécu longtemps, pensa Marty.

Il regarda autour de lui : personne ne devait le voir. Mais le cimetière était complètement vide de tout visiteur. Marty s'agenouilla avec respect devant la tombe.

Comment était-il couché ? Il s'était toujours demandé pourquoi on couchait les morts sur le dos. Peut-être papa avait-il été couché autrement ? Marty s'interrogea sur l'expression que pouvait avoir son visage : peut-être avait-il la même expression effarée qu'au moment de l'événement ?

« Tu aimes bien cet engin, Frankie ? »

Marty entendait encore la voix de papa, si claire, si vivante.

« C'est le nouveau chargeur de bûches. Un chargeur automatique. Je l'ai vu marcher dans le magasin. Ne laisse pas tomber de bûches, d'accord ? »

— Papa, je vais peut-être m'absenter pour un certain temps, murmura-t-il. Mais je reviendrai. Tu sais bien que je reviendrai. Nous devons montrer que maman ne s'en est pas sortie si facilement, n'est-ce pas ? Il faut que nous le montrions.

Ayant remarqué que la pierre tombale avait légèrement basculé, il essaya de la redresser, sans succès, il dut se contenter de la nettoyer.

— Repose en paix, papa. Je suis maître de la situation. Je joue avec les trains ; je réponds même aux cartes de Noël de ta part. J'ai un modèle 30 où je regarde ce que l'on appelle une « cassette vidéo » de Doug Edwards. Tu te souviens comme tu aimais regarder son émission ? Je la passerai le soir du 5 décembre… pour toi… papa.

Soudain, Marty eut une vision de Samantha : sous ses cheveux châtains, il ne revoyait que le visage de sa mère, et entendait la voix de sa mère. Samantha commençait à se transformer dans son esprit.

— Je t'ai lâché une fois, papa. Je t'ai lâché le 5 décembre 1952. J'aurais dû te sauver la vie, mais je n'ai pas réussi. Je ne t'abandonnerai jamais plus.

Il se leva.

— Au revoir, papa. La prochaine fois que je viendrai te voir, ce sera terminé.

Il quitta le cimetière.

15

Chez les Shaw, les livreurs installaient les tables et les chaises dans un fracas métallique pour les festivités du 5 décembre. Samantha et Lynne se contentaient de regarder en donnant quelques indications.

Samantha ne savait pas si elle devait se réjouir ou non. Comment se sent-on dans une situation semblable ? Elle était là, à la veille d'une grande soirée donnée en l'honneur d'un mari qui était maintenant lavé de tout soupçon de meurtre, mais qui était toujours aussi mystérieux, un mari qui était également le père de l'enfant qu'elle portait. Plus les préparatifs avançaient, plus Samantha avait envie d'être après la soirée. Lynne l'aidait à rester calme : elle ne lui avait rien dévoilé du mystère qui entourait le passé de Marty et s'était contentée de lui dire que ses anciennes connaissances avaient été trop difficiles à retrouver et qu'elle avait abandonné toute recherche.

— Une des tables n'est pas en bon état, remarqua Lynne.

Le livreur la regarda et la replia sans mot dire pour la remplacer par une autre. La plupart des meubles avaient été poussés dans les coins du séjour ; certains avaient même été remisés chez Lynne.

— Cela fait très impersonnel, dit Samantha lorsque les livreurs eurent terminé.

— Attends un peu, dit Lynne. J'ai l'habitude d'organiser des soirées pour ma galerie d'art : je t'assure que, dès qu'ils vont arranger la disposition, tu auras une vraie salle de réception.

— Tu crois que Marty va être content ?

— Il va adorer. Qui n'aimerait assister à une soirée donnée en son honneur ?

Samantha savait que Marty rentrait à New York à ce moment précis, juste vingt-quatre heures avant la soirée : il l'avait appelée la veille de son hôtel de Saint Louis.

Bien sûr qu'il aimera cette soirée, se dit-elle. Et peut-être, oui peut-être, choisirait-il cette nuit très spéciale du 5 décembre pour lui dévoiler le mystère de son passé. C'était précisément ce qu'avait prévu Marty, mais en donnant une signification tout autre aux mots.

— Madame Shaw ?

Samantha se retourna en entendant cette voix toute jeune.

— Nick Auerbach, de la maison de vidéo. Le portier pensait que j'étais avec les livreurs et m'a laissé monter.

— Entrez, je vous prie.

Auerbach n'avait aucun équipement avec lui, juste un calepin et un crayon. Samantha lui fit visiter l'appartement et il fit de petits schémas sur lesquels il nota diverses indications, comme l'emplacement des tables et la couleur des murs.

— Il me faut quelques renseignements.

— De quel type ? demanda Samantha.

— Je voudrais savoir s'il y aura une présentation officielle ou une petite cérémonie.

— Oh non, pas du tout.

— Ah, pardon ! N'oublies-tu pas quelque chose ? dit Lynne en lui désignant son ventre.

— Oui, bien sûr, se reprit Samantha. Je ferai une annonce. Dois-je vous faire un signe ?

— Cela me serait très utile, dit Auerbach avant de poursuivre son questionnaire.

Il demanda si elle voulait des « interviews » avec certains invités, si elle souhaitait que certaines personnes ne soient pas filmées.

Le jeune homme, qui était de toute évidence un étudiant, avait plus d'expérience que Samantha ne l'avait d'abord pensé. Auerbach savait que la vidéo devait respecter le ton que l'hôtesse entendait donner à sa soirée : c'était en quelque sorte la version moderne de l'album de photos dans lequel les portraits de chacun des membres de la famille étaient soigneusement sélectionnés.

— Désirez-vous un historique ?

— Qu'est-ce que c'est ?

— Eh bien, les gens ont parfois des documents qu'ils veulent inclure : de vieilles photos, ou des films d'amateur…

— Non, mon mari est assez discret sur ce point. Je pense qu'il vaut mieux éviter cela.

— On peut faire quelques gros titres pour évoquer brièvement le passé : donner le nom de sa ville natale, de son université, des sociétés pour lesquelles il a travaillé, par exemple.

— Non, il ne vaut mieux pas, dit Samantha qui ne savait pas si elle devait en rire ou en pleurer.

— C'est dommage. Vous risquez d'avoir un film très froid, montrant juste un groupe de gens bruyants.

— Je préfère prendre ce risque. Mais je crois que ce sera une soirée chaleureuse et animée.

— Bien, dit Auerbach en prenant congé.

Les livreurs finirent d'installer les nappes sur les tables et Samantha eut une impression générale très favorable. L'appartement avait revêtu un aspect élégant qui lui permettait déjà d'imaginer ce que ce serait une fois que les détails de dernière minute – couverts en argent, petit orchestre, etc. – seraient mis en place.

Ce serait une soirée mémorable.

Tout allait bien se passer. Il le fallait.

Le fourgon de police traversa Manhattan à vive allure, à grand renfort de gyrophare et de sirène. Les voitures se rangèrent à droite pour le laisser passer.

À l'intérieur, Spencer Cross-Wade, escorté d'Arthur Loggins, serrait dans sa main une grande enveloppe marron comme si elle contenait un secret d'État. Les deux hommes étaient figés dans un mutisme total. Cross-Wade se sentait humilié, comme il ne l'avait encore jamais été depuis le début de l'enquête sur le « schizophrène à date fixe ». Il redoutait ce qui allait se passer maintenant et ne cessait de se répéter les nouveaux éléments. Il savait qu'il pouvait avoir une lueur d'espoir mais redoutait de devoir donner ce dernier coup à Samantha.

Le portier l'annonça par l'interphone ; Samantha fut surprise de le voir revenir, d'autant qu'elle n'avait jamais vu Cross-Wade aussi sombre, aussi agité.

— Entrez, dit-elle d'une voix nerveuse.

Les deux détectives entrèrent. Les livreurs et Lynne venaient de partir.

— Je suis désolé de vous déranger, s'excusa Cross-Wade. Je sais bien que vous êtes surprise de notre visite, que vous pensiez ne plus jamais nous revoir.

— Oui, c'est vrai, acquiesça Samantha. Je suppose que vous avez découvert un nouvel élément à propos de Marty, et je devine que c'est un élément plutôt désagréable.

— Vous devinez juste.

— Alors parlez, s'il vous plaît. Qu'a-t-il fait ? J'aurais préféré savoir la vérité après la soirée mais maintenant, allez-y.

— Madame Shaw, avant toute chose, je veux vérifier un détail important, dit Cross-Wade en se dirigeant vers la chambre. Oui, c'est bien cela.

— Quoi donc ?

— Comme vous le savez, expliqua-t-il en revenant dans le salon, j'ai clos l'enquête sur votre mari dès réception du dossier médical. Mais, dans notre bureaucratie, certaines recherches se poursuivent automatiquement. J'avais demandé aux autorités des photos de l'intérieur et de l'extérieur de la maison de Frankie Nelson et n'avais reçu jusque-là que des photos de l'extérieur. Je viens d'avoir le reste aujourd'hui. Les voici, dit-il en les lui tendant.

Les yeux de Samantha s'écarquillèrent.

— Mon Dieu ! ce n'est pas possible !

Cross-Wade sympathisa d'un signe de tête.

Elle jeta un nouveau coup d'œil aux photos, notamment à celle qui montrait la chambre des Nelson, qui était arrangée exactement comme Marty venait de le faire chez eux. Elle reconnut l'affreux tableau au mur, les meubles posés devant la fenêtre et le radiateur, le vieux téléviseur modèle 30.

— Je ne comprends pas, dit Samantha qui n'en croyait pas ses yeux.

— C'est pourtant clair.

— Et le dossier médical ?

— Madame Shaw, je suis dans la police depuis assez longtemps pour savoir que tout le monde n'est pas parfait dans notre profession. Oui, nous avons bien reçu un dossier médical au nom de Frankie Nelson : nous l'avons comparé à celui de Marty et en avons conclu qu'ils ne correspondaient pas à la même personne. Mais lorsque nous comparons les photos de la chambre des Nelson à la vôtre, le rapprochement s'impose. Alors, pourquoi les dossiers ne correspondaient-ils pas ? Je suppose qu'on nous a envoyé celui d'une autre personne en l'attribuant à tort à Frankie Nelson. Une erreur, tout simplement. Madame Shaw, Frankie est bien votre mari.

Samantha se dirigea lentement vers sa chambre, suivie de Cross-Wade et de Loggins qui ne dirent mot. Elle jeta un regard sur la pièce puis sur la photo :

— Pourquoi Marty a-t-il fait cela ? demanda-t-elle en acceptant l'évidence. Pourquoi a-t-il arrangé la pièce de la même façon ?

— Je suppose que cela fait partie du rituel. Peut-être cela reflète-t-il un attachement à son enfance d'avant…

— Avant qu'il voie sa mère tuer son père.

— C'est cela, je le crains.

— Un meurtrier, murmura Samantha. Je pensais que nous avions évité cela. Mon mari est un meurtrier. Je ne peux pas le croire.

Elle se sentit mal et alla s'asseoir sur le lit, craignant de s'évanouir.

— Je vous comprends, dit Cross-Wade d'une voix chaleureuse.

Il savait qu'il avait malmené Samantha, d'abord en commençant par lui dire qu'il suspectait Marty, puis en le blanchissant preuve à l'appui, et enfin en l'accusant à nouveau. C'était insupportable.

— Je sais que c'est difficile pour vous, poursuivit-il. Vous avez été très courageuse : tâchez de l'être encore un peu.

Samantha comprit ce que Cross-Wade voulait dire. C'était le 4 décembre.

— Je suppose que je suis sa cible ?

— Probablement. Tout se passe dans sa tête. Vous n'êtes plus sa femme. Vous êtes en quelque sorte devenue sa mère.

— Sa mère, répéta Samantha d'un air ébahi. J'ai donc deux bébés, dont l'un est armé d'un marteau et d'une chaîne.

Cross-Wade et Loggins échangèrent un regard furtif exprimant leur désarroi.

— Bien, dit Samantha, que voulez-vous que je fasse ?

— Je veux que vous fassiez arrêter votre mari.

— Moi ? Mais pourquoi ne l'arrêtez-vous pas, avant qu'il commette d'autres crimes ?

— Parce que nous n'avons aucune preuve qui permette de faire le lien entre votre mari et les précédents meurtres. Nous n'avons qu'un concours de circonstances alors qu'il nous faut des éléments solides.

— Et je peux vous aider à les obtenir ?

— Oui. Je sais à quoi vous pensez, madame Shaw. C'est la fin de votre couple.

Une nouvelle fois, Cross-Wade avait su exprimer ce qu'elle ressentait et lui faire venir les larmes aux yeux.

— C'est cela, avoua-t-elle.

— Je voudrais bien vous laisser seule et ne pas vous déranger davantage dans ces circonstances pénibles. Mais il nous est impossible d'arrêter votre mari avant la soirée sans motif d'inculpation. Il ne reconnaîtra jamais les faits et nous risquons de perdre complètement la partie.

— Comment allons-nous faire ?

— Passez la soirée comme si vous ne saviez rien et laissez-le agir demain, 5 décembre, son jour crucial.

— Mon Dieu !

— Je sais que c'est difficile mais c'est le seul moyen d'assurer votre sécurité. Marty représente un danger pour vous… et pour le bébé.

Ce fut l'argument décisif et Cross-Wade le savait bien. Le bébé. Quelque chose pouvait lui arriver si Marty n'était pas arrêté, s'il parvenait à s'échapper. Elle désirait ce bébé plus que tout, même si elle ne pouvait pas le partager avec Marty. Il faisait partie d'elle-même maintenant ; elle avait le devoir de le protéger.

— Nous allons installer un système de sécurité dans tout l'appartement. Nous poserons des micros partout et nous nous posterons dans l'appartement qui est actuellement vide. Si quelque chose se passe, nous serons immédiatement auprès de vous. Tout sera enregistré : Marty ne pourra pas nous échapper.

— Mais il va essayer de me tuer ! s'exclama-t-elle, horrifiée par la vision imaginaire qu'elle avait de la scène.

— Nous ne le laisserons pas aller jusque-là, ne craignez rien.

— Je ne peux pas croire qu'il va essayer de le faire pendant la soirée.

— Moi non plus, dit Cross-Wade. Il fera probablement sa tentative dès que les invités seront partis, mais avant minuit. De toute façon, nous le ferons surveiller toute la journée et l'un de nos hommes, qui prétendra être là pour réparer la ligne du téléphone, viendra assurer votre protection dès le matin.

Samantha regarda l'heure : elle remarqua que ses mains tremblaient et étaient recouvertes d'une sueur glacée.

— Tout sera terminé dans un peu plus de trente-deux heures, dit-elle en enfouissant son visage dans ses mains. Marty disparaîtra de ma vie.

— Il m'est très difficile de vous imposer cela, mais j'espère que nous pouvons compter sur votre coopération.

— Oui, dit-elle.

La colère qu'elle avait déjà ressentie à l'égard de Marty lorsque les premiers soupçons avaient été formulés ressurgissait. Il l'avait trahie : il n'était pas l'homme qu'elle avait épousé.

— Oui, je vous aiderai, promit-elle.

Ils parlèrent quelques instants encore, puis Cross-Wade téléphona pour donner l'ordre d'installer le dispositif de sécurité dans l'appartement de Samantha et de reprendre la surveillance de Marty dès son retour ainsi que d'envoyer une équipe pour monter la garde dans l'appartement vide. Samantha regardait d'un air absent les préparatifs maintenant dérisoires qu'elle avait faits pour la soirée.

— Il vaut mieux que je reprenne les photos, lui dit Cross-Wade. Il ne faut surtout pas que votre mari les voie.

Samantha ne s'était même pas rendu compte qu'elle les tenait toujours dans sa main.

— Devez-vous absolument partir tout de suite ? demanda-t-elle, inquiète de devoir rester seule.

— Oui, hélas, nous avons des dispositions à prendre. Vous savez, madame Shaw, ce n'est pas la première fois que des femmes se retrouvent seules après ma visite, en général parce que leur partenaire est un assassin. J'ai vu leur désespoir et leur solitude. Mais je voudrais vous dire qu'il y a toujours un lendemain. La blessure ne se refermera jamais complètement mais vous irez mieux. Vous devez dès maintenant penser à demain. Pour votre enfant.

Samantha comprenait à peine les propos attentionnés de Cross-Wade. Pour elle, le seul lendemain auquel elle pouvait penser était le 5 décembre.

— Merci beaucoup.

— Nous resterons en contact, promit Cross-Wade. Notre dispositif sera installé lorsque votre mari rentrera. Le 5 décembre à la première heure, tout ce qui se dira chez vous sera entendu par nos hommes… même pendant votre sommeil.

— Je comprends.

— Bon courage, madame Shaw.

Samantha se retrouva seule, dans un silence total. Tout était bouleversé une fois de plus. En quelques minutes, tout espoir d'une issue heureuse s'était évanoui. Marty avait le pire des secrets : Samantha imagina avec horreur comment la police allait l'emmener sous les yeux de Lynne et de tous leurs voisins et amis, les sous-entendus, les soupçons sur sa possible participation à cette affaire. Il lui faudrait partir, quitter cette vie dont elle avait rêvé pendant des années, affronter la solitude une fois de plus.

Elle regarda son ventre et se demanda si le bébé pouvait sentir ce qui n'allait pas : elle avait entendu dire que les bébés sentaient la tension de leur mère au cours de leur vie intra-utérine. N'allait-il pas en souffrir plus tard ? Ne finirait-il pas par lui reprocher ce qui était arrivé à son père ? Peut-être cet enfant lui en voudrait-il comme Marty en voulait à sa propre mère.

Elle fut effarée à l'idée qu'elle pourrait un jour avoir peur de son enfant. Elle refusait cette réalité, se disant que Cross-Wade s'était peut-être trompé.

Épuisée, elle finit par succomber au sommeil.

16

5 décembre

Le jour arriva enfin.

Cette date serait inscrite, si Marty parvenait à ses fins, sur la pierre tombale de Samantha. Mais si Cross-Wade réussissait, cette date marquerait l'arrestation d'un dangereux meurtrier. Si enfin tout se passait comme dans le rêve de Samantha, rien d'extraordinaire n'aurait lieu car elle souhaitait tout simplement la fin de ce cauchemar.

Il faisait froid ce jour-là et une pluie glaciale tombait de temps en temps. Tom Edwards avait raison : ce n'était pas un jour à servir de la glace.

Dès son réveil, Marty se précipita à la fenêtre.

— Quel temps ! s'exclama-t-il en découvrant la grisaille qui enveloppait la ville. Un jour comme aujourd'hui, c'est inacceptable !

Samantha se força à sourire, décidée à jouer le rôle que lui avait assigné Cross-Wade.

— Bon anniversaire, chéri !

Mon Dieu, pensa-t-elle, c'est complètement fou : cet homme est un assassin et je l'embrasse.

Et pourtant, elle éprouvait toujours un sentiment

pour lui : un sentiment qu'elle ne pouvait effacer et qui la torturait.

On sonna à la porte.

— À cette heure-ci ? s'étonna Marty.

— Attends. Je crois que je sais qui c'est.

— C'est pour la soirée ?

— Non. La compagnie du téléphone a appelé hier pour dire qu'il y avait un problème sur notre ligne et que les ouvriers viendraient tôt ce matin.

— Qui est-ce ? demanda Marty à la porte.

— Le téléphone.

Il ouvrit la porte à un grand technicien musclé qui lui présenta sa carte ; l'homme se mit à examiner le téléphone dans la salle à manger et Samantha se sentit rassurée.

Marty retourna dans la chambre, décidé à retrouver l'état d'esprit qu'il avait avant d'être dérangé par ce coup de sonnette.

— Tu sais, confia-t-il, je n'ai pas l'impression d'avoir quarante ans. Je me sens comme un adolescent. J'ai même mes trains électriques, ajouta-t-il avec un sourire démoniaque.

— Allons, Marty, tu ne vas tout de même pas les sortir ce soir !

Marty prit un air déçu :

— Pourquoi pas ? Je pensais que tout le monde pourrait y jouer.

— Il n'en est pas question.

— D'accord, Marty n'a pas le droit de faire ce qu'il veut le jour de son anniversaire. Marty va pleurer.

— Avant de te mettre à pleurer, dis-moi donc ce que tu veux pour le petit déjeuner.

— Un steak.

— De si bon matin ?

— Pourquoi pas ! Allons déjeuner à l'extérieur. Je connais un endroit où l'on sert des steaks pour le petit déjeuner.

— Ce n'est pas la peine. J'en ai ici.

— Tu plaisantes ?

— Non, non, pas du tout. Tu m'avais dit un jour que tu aimerais manger un steak au petit déjeuner le jour de ton anniversaire. Je m'en suis souvenue, chéri.

Marty, dans un élan spontané, se précipita vers Samantha pour l'embrasser.

— Je ne sais pas ce que je ferais sans toi !

— Tu mourrais de faim.

Ils jouaient tous deux leur rôle à merveille, chacun dans des buts différents. Tous deux également avaient des inquiétudes : Samantha savait que sa vie tenait à un fil et Marty était conscient qu'elle en savait peut-être suffisamment pour faire échouer son plan.

Sans y penser, Samantha leva la tête vers le climatiseur où les hommes de Cross-Wade avaient installé un de leurs micros : curieusement, elle était gênée de se savoir écoutée par les policiers, craignait de dire quelque chose qui les ferait rire. L'orgueil ne disparaît pas sous prétexte que l'on court un grave danger.

— Je vais préparer le petit déjeuner.

— Attends un instant, dit Marty.

Il ouvrit le tiroir de son bureau et en sortit le paquet cadeau qu'on lui avait fait à la bijouterie.

— J'ai pensé… Euh… Tiens.

— Marty ! il ne fallait pas, dit Samantha, réellement surprise.

Pendant un instant, elle oublia le cauchemar qu'elle était en train de vivre. Ce geste était tellement romantique, tellement typique du Marty qu'elle avait connu : il lui offrait un cadeau le jour de son propre anniversaire ! Mais pourquoi ? Pourquoi ce geste délicat s'il prévoyait de la tuer ? Que se passait-il dans son esprit dérangé ?

Elle ouvrit la boîte, comme elle avait ouvert tant de paquets depuis qu'elle le connaissait, et souleva le papier intérieur.

— Marty, c'est magnifique ! s'exclama-t-elle en voyant le pendentif et la chaîne en or.

— J'étais sûr que cela te plairait.

— Mais c'est plus que cela ! Je le trouve superbe !

Samantha se demanda ce que devaient penser les policiers en entendant ce dialogue : cet homme faisait un cadeau à la femme qu'il s'apprêtait à assassiner.

— Mets-le, demanda Marty.

— Bien sûr.

Samantha essaya le bijou sur sa chemise de nuit : ni elle ni Marty ne dirent rien pendant quelques instants. Seule la pluie rompait le silence de son martèlement régulier.

— C'est parfait, dit-elle.

Marty était toujours muet, debout derrière Samantha, le visage éclairé d'un sourire lointain. Elle ne lui avait jamais vu cette expression. Ses sourires étaient en général francs, presque comme des éclats de rire. Celui-ci semblait plus intérieur, le genre de sourire qui reflétait une pensée secrète et impénétrable.

Marty regardait Samantha dans la glace. Oui, c'était bien maman. Absolument. Les longs cheveux châtains, le pendentif. « Dommage, maman. Dommage que tu aies été ainsi. Tu dois être punie, et punie pour de bon. »

— Je le porterai ce soir, promit-elle.

— Cela me fera un grand plaisir. Il te va très bien.

— Je prépare le steak ?

— Bien sûr, dit Marty sans se départir de ce sourire grimaçant.

Samantha remit le bijou dans sa boîte et alla préparer ce petit déjeuner particulier qu'elle avait prévu depuis le jour où elle avait eu l'idée de la soirée.

Dans l'appartement vide, quatre hommes de Cross-Wade étaient installés près du système d'écoute : ils étaient tous les quatre armés et avaient les clés de l'appartement de Samantha qu'ils pouvaient secourir en quelques secondes si le moindre incident survenait, ce que la présence du technicien rendait d'ailleurs fort improbable.

Marty commença à s'habiller et repensa aux détails de la journée. Le marteau, la chaîne, la cassette de Doug Edwards, le billet d'avion pour Rome : tout était prêt. Le chiffre 5 qui s'affichait sur le calendrier avait déclenché en lui ce désir de vengeance qui s'emparait de lui tous les ans à la même date. C'était le seul anniversaire qui comptait, la seule date importante dans sa vie de misère. Il se sentait très proche de son père, plus qu'il ne l'avait jamais été depuis 1952. Il y avait toujours une partie de Marty/Frankie qui tentait de le retenir, de le convaincre de reprendre la vie normale d'un homme d'affaires new-yorkais. Mais cette moitié de lui-même ne pouvait maîtriser le démon qui le possédait tous les 5 décembre.

Il repensa à sa première victime : une bibliothécaire souriante d'un faubourg de Philadelphie qui avait quitté son lieu de travail un soir et avait été retrouvée morte le lendemain dans un parc du quartier. Il avait été transporté par ce premier geste de loyauté à l'égard de son père, puis avait mesuré sa force lorsqu'il s'était rendu compte qu'il pouvait s'acquitter de cette tâche avec succès plusieurs fois.

Récemment, il avait pensé qu'en prenant toutes les précautions possibles il pourrait aussi perpétrer avec succès le meurtre de Samantha. Mais il serait sans aucun doute surveillé par la police et cet instinct de survie qui le protégeait depuis six ans l'avertissait de la nécessité de partir pour Rome, de changer d'apparence physique et de recommencer sous une nouvelle identité. Dans quelques heures, Martin Everett Shaw n'existerait plus.

— Voilà une excellente façon de commencer la journée, dit-il en sentant l'odeur du steak grillé dans la cuisine. Je devrais avoir quarante ans plus souvent !

Tout était normal, typique de toutes les scènes domestiques et familiales des feuilletons télévisés.

Marty et Samantha savouraient tranquillement leur petit déjeuner qui fut à peine perturbé lorsqu'elle renversa sa tasse de café sur le sol.

— Je suis énervée, avait-elle expliqué. La soirée.

Ce n'était qu'à moitié faux. Elle était énervée, certes, mais par la vision de Marty avec un marteau et une chaîne.

Après le petit déjeuner, Marty enfila son manteau et partit au bureau. Plusieurs hommes de Cross-Wade en civil montaient la garde à proximité de son immeuble dans des voitures banalisées. D'autres le suivirent jusqu'à l'immeuble qui abritait sa société. Tout était jusque-là normal.

Marty monta jusqu'à son bureau dont il ouvrit la porte avec son assurance habituelle. La routine céda alors le pas à la surprise.

Le personnel de sa société avait en effet voulu lui réserver une petite fête préliminaire : toutes les pièces étaient décorées de serpentins, de papier crépon, de ballons ; les tables étaient couvertes de nourriture ; sur l'une d'entre elles était posée une gigantesque glace représentant un buste de Martin Everett Shaw. Marty fut aussitôt étouffé par les accolades de ses secrétaires et les tapes de ses collaborateurs.

— Mon Dieu ! c'est incroyable !

— C'est une répétition pour ce soir, dit quelqu'un, donnant ainsi le ton.

Peu de travail serait fait aujourd'hui, de toute évidence, mais Marty ne pouvait pas leur en vouloir. Il ne leur en voulait d'ailleurs pas. À partir du 6 décembre, il ne reverrait plus jamais tous ces gens.

Une équipe de surveillance postée dans l'immeuble d'en face pour regarder ce qui se passait à la jumelle télescopique informa Cross-Wade de la surprise qui avait été réservée à Marty.

— Puis-je avoir un instant d'attention ? cria Leonard Ross, vice-président chargé des relations avec les médias. Je suis aussi pressé que vous de voir commencer cette petite fête, mais je voudrais vous retenir une minute.

Les dix femmes et huit hommes qui constituaient le personnel de la société se turent et se tournèrent vers Ross, dont le physique agréable et la stature imposante faisaient un orateur parfait pour ce genre d'événement.

Puis quelqu'un entonna *Joyeux Anniversaire*, suivi très vite par les autres employés. Ce n'était pas exactement ce qu'avait prévu Ross, mais il eût été inconvenant de freiner cet élan.

— Bien, dit-il à la fin de la chanson. Très bien. Tout le monde est là ?

— Apparemment, dit Marty.

Tous les employés firent cercle autour de Ross.

— Marty, dit-il, je sais que c'est une grande surprise pour vous. Je sais aussi que le matin n'est pas la meilleure heure pour cette petite célébration, mais tout le monde ici voulait fêter l'événement le jour même.

— J'apprécie beaucoup ce geste, dit Marty.

— Nous voulons tous vous montrer notre respect, notre dévouement et notre affection. Vous êtes le patron mais vous savez aussi être un ami pour chacun de nous.

Marty sourit modestement sous les applaudissements.

— Nous tenons donc à célébrer votre quarantième anniversaire en vous en souhaitant encore quatre-vingts autres…

De nouveaux applaudissements fusèrent.

— Et en nous souhaitant de nombreuses augmentations pendant tout ce temps !

Tout le monde se mit à rire et Marty ne résista pas à cette plaisanterie. Ross lui donna une grande claque amicale dans le dos et ce geste fut immortalisé par quelqu'un qui avait un Polaroid. Marty recula légèrement afin de prendre la parole.

— Je suis sous l'effet du choc, dit-il. Je pensais que personne ne m'aimait. Votre dévouement compte beaucoup pour moi. Je dois dire que cela me récompense de mes débuts difficiles et acharnés. Mais je suis fier de cette société, fier de ce que nous faisons et fier d'avoir des collaborateurs comme vous. Ne nous contentons pas de célébrer mon quarantième anniversaire. Célébrons aussi nos succès présents et futurs.

C'était un bon discours et les applaudissements durèrent un certain temps : quelques employés l'acclamèrent même, preuve qu'il avait su choisir les mots justes. Chacun se dirigea vers les tables lorsque Ross leva à nouveau la main pour faire le silence.

— Un instant, s'il vous plaît. Un instant. Nous avons une petite surprise pour Marty. Marty, nous voulons vous donner un souvenir de notre affection et de notre estime. Carol...

Carol, la secrétaire de Ross, se rendit dans son bureau et en revint quelques instants plus tard avec un grand paquet plat entouré d'un ruban bleu et sur lequel *40* était écrit en rouge.

— Mais il ne fallait pas ! s'exclama Marty.

— Marty, poursuivit Ross, nous avons pensé que c'était là le meilleur cadeau pour que vous vous souveniez de ce jour. Nous espérons que cela vous plaira.

Marty, radieux, ouvrit lentement le paquet dont il sortit soigneusement un cadre.

— Magnifique, dit-il en agitant la tête avec émotion. C'est magnifique. Je tiens à vous assurer que je ne m'en séparerai jamais.

Il contempla le portrait de Samantha, avec ses longs cheveux châtains qui tombaient délicatement sur ses épaules ; son visage avait le sourire radieux de quelqu'un qui a devant lui une vie de bonheur et d'amour.

— Pendant l'un de vos voyages, expliqua Ross, nous avons pris la photo de Samantha qui est dans votre bureau et l'avons confiée à un peintre qui l'a copiée.

— C'est un très beau portrait, dit Marty. Je vais l'accrocher dans mon bureau et inviter Sam à venir le voir. Je suis sûr qu'elle va l'adorer.

Quelle ironie du sort, se dit-il. Cela fera un gros titre parfait une fois que l'on aura découvert le corps de Samantha : *LE MARI MEURTRIER REÇOIT LE PORTRAIT DE SA FEMME AVANT DE LA TUER.*

— Je vais tout de suite l'accrocher dans mon bureau. Et merci à tous, du fond du cœur !

Marty montra le portrait à tout le monde avant d'aller s'enfermer dans son bureau. Il enleva une petite mosaïque qui avait jusque-là orné l'un des murs et la remplaça par le portrait ; puis il recula pour l'admirer.

— Papa, dit-il. C'est un merveilleux présage. C'est comme si ces fous avaient senti que Samantha n'en avait plus pour longtemps dans ce monde. C'est extraordinaire, papa, extraordinaire.

Marty alla retrouver ses employés sans cesser de penser à cette ironie du sort ; il modifia alors légèrement ses plans.

— Je crois que je vais emporter ce portrait à la maison ce soir, expliqua-t-il à Ross. Je veux que tout le monde puisse l'admirer.

— Merci beaucoup. Je suis sûr que tout le personnel appréciera votre geste.

La petite fête se termina et Marty se retira dans son bureau. Il devait prendre les outils qui lui seraient nécessaires pour la célébration du rituel qui aurait lieu dans la soirée. Il ouvrit donc son coffre et en retira le marteau et la chaîne qu'il plaça dans son attaché-case, sous une pile de papiers. Puis il dissimula la cassette de Doug Edwards et le billet pour Rome dans la poche qui fermait à clé.

Il emporterait effectivement le portrait chez lui : ce serait le dernier geste qui rendrait Samantha heureuse.

Le compte à rebours était lancé. Rien ne pourrait plus l'arrêter. À 10 h 45, il plaça son attaché-case dans un coin de son bureau et se rendit à la réception où quelques employés traînaient encore.

— Quelle journée ! leur dit-il.

— Oui, répondit l'un d'entre eux. Et vous avez une belle soirée en perspective.

— Oui. C'est un vrai rêve.

Le temps de Samantha était presque écoulé.

L'appartement bourdonnait. Le traiteur était déjà là, les livreurs, le fleuriste, les musiciens et Auerbach aussi. Samantha fut chassée de sa cuisine par les cuisiniers ; le régisseur lui-même monta plusieurs fois pour proposer une aide qu'il savait inutile mais qui lui vaudrait bien un pourboire.

Spencer Cross-Wade arriva peu après 13 heures. Il jeta un coup d'œil aux préparatifs qui lui firent penser à un élégant dîner britannique. Il semblait impossible que cela conduisît à un meurtre. Il échangea quelques mots en privé avec Samantha dans la chambre.

— Tout est parfait, commença-t-il avec une certaine gêne.

— Merci. Dommage que ce soit un pur gâchis.

Cross-Wade remarqua à quel point elle avait su garder son calme malgré les circonstances. Vêtue d'une robe d'intérieur rose, elle portait ses cheveux tirés en arrière. Elle était bien décidée à affronter la soirée avec style et à faire fi de ses propres angoisses.

— Espérons que quelque chose de positif en sortira, dit Cross-Wade, et permettra l'arrestation d'un meurtrier. Bien. Je voulais vous donner les dernières instructions.

— Allons-y.

— On vous a dit où étaient tous les micros ?

— Oui.

— Nous avons également une équipe vidéo dans un appartement de la Cinquième Avenue de l'autre côté du parc. Ils recevront peut-être des images assez floues à cause de la distance. Veillez à laisser vos rideaux ouverts.

— Ils le seront, promit Samantha. Tout le monde apprécie la vue que nous avons d'ici.

— Notre équipe vidéo est en communication constante avec nos hommes ici. Nous pouvons intervenir à tout instant.

— C'est très rassurant.

Samantha essayait d'être polie avec Cross-Wade mais était comme paralysée. Tout cela n'était qu'un mauvais rêve dont elle pourrait, par un miracle, se réveiller.

— Qui ferme la porte le soir ?

— C'est moi en général.

— Bien, après la fête, veillez à laisser la porte ouverte, mais faites semblant d'aller la fermer. Vous me suivez ?

— Tout à fait. Il faut éviter que Marty se doute de quelque chose.

— Parfait. Comme je vous l'ai dit, nous entendons tout ce qui se dit ici et, si vous vous tenez près d'une fenêtre, nous pouvons même voir ce qui se passe. Mais lorsque vous serez dans votre chambre après le départ des invités, je suppose que les rideaux seront fermés.

— Oui.

— Et votre mari peut très bien agir en silence.

— Que voulez-vous dire ?

— Il peut très bien sortir son marteau et sa chaîne sans faire de bruit.

— Comment pouvez-vous intervenir dans ce cas ? demanda Samantha, figée par la peur.

— Sur un signe de vous. Dès que vous apercevrez une arme ou que vous aurez l'impression que Marty fait des gestes suspects, vous direz : « Je crois que j'ai mal à la tête. » Bien sûr, s'il a une arme dans la main, saisissez un objet dans la pièce. Il ne nous faudra que quelques secondes pour intervenir. Nous crierons : « Police ! Ne bougez plus ! », et cela détournera son attention sur nous.

— J'espère, dit Samantha.

— Madame, je vous assure que, si j'avais pensé qu'il y avait le moindre risque pour vous, je n'aurais pas prévu ce plan. Mais pour vous rassurer encore plus, je vous ai apporté ceci.

Cross-Wade sortit de sa poche un petit cylindre muni d'un bouchon vaporisateur.

— Cet engin combine les effets d'un gaz lacrymogène et d'une bombe paralysante. Si vous vous sentez en réel danger, envoyez-en un jet dans le visage de votre mari, je vous assure qu'il sera immédiatement neutralisé.

— Je vous crois, dit Samantha, horrifiée à l'idée de devoir utiliser une telle arme.

— Je voudrais d'autre part insister sur le fait que vous devez observer votre mari à chaque instant. Suis-je clair ?

— Tout à fait.

— Je dois enfin vous prévenir d'une dernière chose : si nous devons intervenir en urgence, jetez-vous à terre. C'est pour votre sécurité, même si ce n'est pas très féminin.

Samantha ne put s'empêcher de remarquer la galanterie de l'inspecteur.

— Si nous procédons à une arrestation, une enquête sera ouverte. Mémorisez donc le plus de détails possible. Vous serez témoin.

— Tout cela me paraît toujours incroyable, dit Samantha en hochant la tête. J'ai l'impression d'être un robot téléguidé.

— Excusez-moi d'être aussi directif…

— Ce n'est pas ce que je voulais dire. J'apprécie beaucoup ce que M. Loggins, le sergent Yang et vous-même faites pour moi… Si vous n'étiez pas là…

Elle s'arrêta : il était difficile d'envisager son propre assassinat.

— J'espère que demain à la même heure vous serez libérée, madame. Et je vous souhaite tout le bonheur possible après cela.

Cross-Wade lui baisa la main, se demandant toujours où Samantha puisait un tel courage. Mais il la vit pâlir et se mettre à trembler.

— Je sais, lui dit-il simplement en posant la main sur son bras. Asseyez-vous un instant.

Samantha s'assit sur le lit, refoulant les sanglots et la colère qui l'étouffaient.

— Pourquoi, dit-elle dans un murmure. Pourquoi moi ?

— Qui ne se poserait pas cette question à votre place ? demanda Cross-Wade en soupirant.

17

Marty rentra à 18 h 30.

Samantha s'était remise et avait retrouvé ses forces pour l'accueillir. Elle portait une longue robe de velours bleu qui mettait en valeur ses magnifiques cheveux châtains et le pendentif de Marty. Elle n'avait jamais été aussi belle, n'avait jamais offert un spectacle aussi inoubliable.

— Tu es superbe, lui dit-il.

Elle lui sourit et s'écarta afin qu'il puisse voir les transformations opérées dans l'appartement pour cet événement qui lui avait demandé des semaines de préparation.

Elle jeta un coup d'œil à l'un des plis de sa robe qui dissimulait la bombe paralysante.

— Eh ! dit Marty sur le pas de la porte. C'est le pays des merveilles.

Il embrassa Samantha avec un empressement exceptionnel. Toute personne les regardant aurait pensé qu'ils formaient un couple amoureux et sans nuages. Marty aussi jouait la comédie et était aussi bon acteur que Samantha.

— Je suis contente que tu sois heureux, lui dit-elle.

— Je n'ai pas de mot pour décrire mon bonheur. J'ai quelque chose pour toi, ajouta-t-il.

— Pour moi ? Le jour de ton anniversaire ? Encore ?

— Ce n'est pas exactement de ma part, dit-il en lui tendant le portrait. Mes employés m'avaient préparé une petite fête surprise ce matin au bureau et m'ont offert ceci.

— Marty, ils t'ont donné cela ? Cela me ressemble-t-il ?

— Tout à fait. C'est un excellent travail. Cela te plaît ?

— Bien sûr. C'est très gentil de leur part. Où allons-nous l'accrocher ?

— Dans mon bureau. Je l'ai apporté ce soir pour te le montrer. Mais je l'installerai dès demain derrière mon bureau.

Entendait-elle bien ? Cross-Wade, Loggins et leur équipe avaient-ils entendu la même chose ? Marty avait l'intention de rapporter ce portrait dans son bureau le lendemain matin. Était-ce une forme de sadisme ou une nouvelle lubie ?

— Tu penses que c'est un bon endroit, derrière ton bureau ?

— J'ai essayé ce matin : c'était superbe, dit-il, ravi de cette plaisanterie.

— Plaçons-le là dans ce coin pour que tout le monde puisse l'admirer, suggéra Samantha. Je veux que tous nos invités sachent que c'est le cadeau de ton personnel.

Marty l'installa à l'endroit convenu puis saisit son attaché-case et se dirigea vers la chambre. Samantha l'observa, comme le lui avait recommandé Cross-

Wade : il tenait sa sacoche très serrée. Voilà pourquoi Cross-Wade n'avait pas trouvé d'armes dans l'appartement, se dit-elle. Elles étaient là-dedans. Elle n'osait pas regarder avec trop d'insistance pour ne pas attirer les soupçons de Marty.

— Veux-tu que je range ta sacoche ? demanda-t-elle dans l'espoir d'attirer l'attention de Cross-Wade.

— Tu n'es pas ma bonne, que je sache !

— Je veux faire plaisir à mon grand garçon pour son anniversaire. Ta sacoche a l'air lourde.

— Des paperasses pour le boulot. Je n'en peux plus d'impatience, ajouta-t-il. Et toi ?

— Moi aussi.

— Je vais me laver et me changer, dit-il en s'enfermant dans la chambre.

Samantha regarda longuement le portrait : il était vraiment fidèle et, dans d'autres circonstances, aurait été du plus bel effet derrière le bureau de Marty. Il en aurait parlé aux personnes qui lui rendaient visite et ce serait devenu un objet de famille. Mais, dans la situation actuelle, il finirait probablement dans les bureaux de la police comme pièce à conviction.

Toutes les personnes chargées de l'intendance qui étaient sorties dîner revenaient l'une après l'autre. Les invités devaient arriver à 19 h 45. Samantha mit la dernière touche aux préparatifs : les plats étaient prêts et n'avaient plus qu'à être réchauffés.

Les musiciens donnèrent le signal en entamant les premières notes. Samantha ressentit une certaine émotion comme s'il s'agissait d'une vraie fête. Elle avait un besoin pressant de rêver, de faire semblant, de rendre cette réalité aussi supportable que possible. Elle savait qu'un meurtrier dangereux se trouvait dans la chambre et qu'elle était sa victime, mais que là, dans le salon, avait lieu une fête.

Pendant un court instant, elle imagina une soirée tout à fait différente, dont les invités ne seraient que des parents des jeunes femmes que Marty avait tuées dans ses accès de vengeance maladive. Ne serait-il pas normal que ces personnes assistent à l'arrestation ?

Un coup de sonnette ramena Samantha à la réalité. Il n'était que 19 h 03. Qui osait arriver aussi tôt ?

Samantha alla ouvrir la porte tandis que l'orchestre entonnait le premier air. C'était Tom Edwards qui venait proposer son aide.

Ce type était bien la seule personne qui avait aidé Samantha dans cette période difficile avec sa simplicité naïve, un peu vieux jeu.

— C'est très gentil, mais je n'ai pas besoin d'aide. Reposez-vous un instant.

— Moi ? Impossible, dit-il en admirant les décorations. Quelle classe ! C'est une soirée royale !

L'orchestre termina le premier morceau et attendit l'arrivée de nouveaux hôtes pour poursuivre.

Malgré l'interdiction de Samantha, Tom s'affaira à droite et à gauche : elle l'observa du coin de l'œil, se disant qu'elle l'aimait vraiment beaucoup.

Marty se rasa et se lava après avoir glissé son attaché-case sous le lit ; puis il enfila une chemise bleue, sa seule concession à la soirée, alors qu'il aurait voulu porter un pantalon kaki et une chemise à carreaux, comme lors de ses précédents crimes.

— Eh ! cria-t-il à Tom. Que fais-tu là ?

— Je donne un coup de main.

— Allons, viens boire un verre. Tu crois que je vais accepter que mon meilleur ami mette la main à la pâte ?

— C'est une perle fine, dit Samantha. Sans lui, je me serais effondrée.

— Je suis jaloux. Je n'aime pas beaucoup cela.

— Je crois qu'il est au courant de notre liaison, dit Tom en adressant un clin d'œil à Samantha.

Ils plaisantèrent encore quelques minutes, puis Auerbach, sans les prévenir, se mit à faire des gros plans de Samantha et de Marty avant la soirée.

Le téléphone sonna.

— Oh, je suis vraiment désolée. Marty va être très déçu, dit Samantha. J'espère que vous irez mieux.

C'était un journaliste du New Jersey qui s'excusait.

— C'est un menteur, dit Marty. Il n'assiste jamais aux soirées. J'étais sûr qu'il ne viendrait pas.

Quelques invités arrivèrent en avance parce qu'ils venaient directement de leurs bureaux. L'orchestre se mit à jouer dans un brouhaha de plus en plus intense.

19 h 45. L'heure H. Les amis de Marty arrivaient en un flot ininterrompu. Il était radieux, elle aussi. Nul n'aurait pu deviner ce qui se passait dans leur tête. Personne non plus ne se doutait que tout était enregistré, que tous les gestes, tous les mouvements étaient observés de l'autre côté de Central Park.

Les trois grandes tables étaient couvertes de plats et de bouteilles, et des garçons passaient des plateaux dans l'assistance. Les cadeaux s'entassaient dans un coin de la pièce et Marty se rendit compte qu'il lui faudrait ouvrir plus de trente paquets avant la fin de la soirée. Il veilla à faire admirer le portrait de Samantha à chaque invité. Une dame s'émerveilla de sa chevelure.

— Je ne m'étais jamais rendu compte, commenta-t-elle, qu'elle était aussi rousse.

— Châtain, rectifia-t-il.

Ce soir-là, tout particulièrement, il ne tolérerait aucune approximation.

20 h 36.

Plus de soixante-dix personnes se pressaient dans l'appartement, où l'air se faisait rare. Marty alla ouvrir une fenêtre.

— Le dîner est servi, annonça le maître d'hôtel.

Les gens vinrent s'asseoir à table, transportant leur verre avec eux et tentant d'être saisis par la caméra d'Auerbach : c'était en effet l'anniversaire de Marty, mais c'était aussi pour beaucoup une manifestation professionnelle, une occasion d'être vu en présence de représentants du monde des médias, de gens qui pourraient leur permettre d'avancer dans leur carrière. En d'autres circonstances, Marty aurait étudié les manœuvres de certains, les compliments hypocrites et les commérages des autres. Mais dans le cas présent, il ne pensait qu'à la manière dont il allait attaquer Samantha. Il savait qu'il le ferait lorsqu'elle serait couchée : c'était le plus facile, le plus rapide et le moins bruyant.

— Une soirée spectaculaire, lui dit Leonard Ross en lui donnant une grande tape dans le dos. Tout à fait spectaculaire. Merci d'avoir apporté le portrait. A-t-il plu à Sam ?

— Elle l'a adoré, Len. Tout le monde l'a trouvé superbe.

Ross donna une seconde tape à Marty dans le dos : il était satisfait de son comportement à l'égard de son patron.

Marty alla s'asseoir près de Samantha en bout de table, non loin de Lynne et de son mari.

Dès que tous les invités eurent pris place, Tom Edwards frappa une petite cuiller contre son verre.

— Je vous demande une minute d'attention, s'il vous plaît.

Pour Marty, c'était la répétition de la fête du matin.

Le silence se fit : c'était la tradition. Auerbach lui-même se fit tout petit.

Tom se leva et brandit son verre :

— Je propose un toast en l'honneur du quarantième anniversaire de Marty.

Tous les invités se levèrent.

— Et un autre toast pour Samantha sans qui Marty ne serait rien.

Quelques éclats de rire puis des applaudissements fusèrent.

— Puis-je répondre ? demanda Marty.

— Non, plaisanta quelqu'un.

Le ton était donné. La soirée serait réussie.

— Je demande à être écouté. Je veux moi aussi proposer un toast. À vous tous, mes amis, qui faites de cette soirée un événement inoubliable.

Chacun pensait que Marty dirait quelque chose de sérieux à propos de ses parents, ou de ses débuts difficiles. Mais il se tourna lentement vers Samantha et leva son verre.

— Il y a un peu plus d'un an, ma vie était vide, dit-il. Et puis cette dame est apparue et tout s'est illuminé.

Sans elle, ce quarantième anniversaire serait triste, ne signifierait rien. Avec elle, je suis au comble du bonheur. À la tienne, Sam.

Il leva son verre en la regardant. Certains yeux s'embrumèrent, dont ceux de Sam.

Plus loin, Spencer Cross-Wade, Arthur Loggins, le sergent Yang et deux autres officiers de police écoutaient.

— C'est honteux, dit Cross-Wade. Il la méprise.

— Je me demande ce qu'elle pense, dit Loggins.

— Que peut-elle penser ? Son mari lève un verre en son honneur alors qu'elle sait qu'il va essayer de la tuer dans quelques heures. Il s'amuse. Je suppose que les assassins ont le droit de s'amuser aussi.

Mais Samantha n'était guère préoccupée par ce double aspect de sa personnalité. Elle était obnubilée par l'heure. 20 h 59. Dans un peu plus de trois heures, tout serait terminé.

Toute l'assistance s'était mise à chanter, accompagnée par le petit orchestre. L'ambiance joyeuse avait gagné tous les invités.

— Puis-je avoir aussi un instant d'attention ?

Cette voix était plus faible que les précédentes et, malgré les efforts de Samantha pour se maîtriser, plus tremblante aussi.

— Je voudrais dire quelque chose. C'est la soirée de Marty. Marty est un type formidable et, comme vous venez de l'entendre, un mari parfait. Il est en fait tellement parfait que ce serait vraiment dommage qu'il n'y ait qu'un Marty.

— Oui, oui, cria-t-on dans l'assistance.

— Je savais que vous seriez d'accord avec moi. Et j'ai pensé qu'il était temps de remédier à cette situation. Alors, avec l'aide de Marty, dit-elle avec un grand sourire en le regardant… À la tienne, papa.

Pendant un instant, le silence fut total.

Samantha se mordit les lèvres comme pour se contrôler. Marty était immobile, sans réaction : tous les regards étaient fixés sur lui, tout comme la caméra d'Auerbach.

Les réactions fusèrent alors :

— C'est merveilleux !

— Félicitations !

Marty se dérida enfin et, avec un large sourire radieux, se tourna pour embrasser Samantha.

L'orchestre avait entonné *Dodo, l'enfant do*.

C'était un moment fort, chaleureux et émouvant. Mais Samantha était ailleurs. Cela ne signifiait rien pour elle, absolument rien, puisque son bébé n'aurait pas de père.

Marty tentait de résister à une véritable tempête intérieure. Il était capable de faire face à tout. Mais c'était la pire des nouvelles. Voilà quelque chose que maman aurait pu faire. Un bébé ? Mon bébé ? Dans le corps de cette femme ?

Il avait dû mal entendre. Mais non, c'était bien cela. Il avait même souri et embrassé maman.

Tout avait changé. Tout. Samantha n'allait pas mourir seule. Il y avait aussi le bébé. Mais était-ce important ? Devait-il se soucier de ce petit fœtus ?

Bien sûr, car c'était le premier descendant direct de papa. Le sang de papa coulerait dans ses veines. Peut-être aurait-il les mêmes traits que lui ? Les mêmes yeux tendres, la même voix ? Peut-être serait-il aussi généreux que lui ? Peut-être enfin Marty aurait-il l'impression de revoir papa en le regardant ?

Pour la première fois depuis qu'il était la proie de la « schizophrénie à date fixe », Marty hésitait. Il devait tuer Samantha : il l'avait épousée parce qu'elle incarnait l'image de sa mère dans son esprit, parce qu'elle était parfaite pour ce rôle de dernière victime qu'il lui avait attribué. Il était impensable de faillir aux promesses qu'il avait faites à papa dans ses lettres et au cours de ses visites au cimetière et de laisser Samantha sortir indemne de ce 5 décembre.

Mais ce bébé ? Marty ne portait-il pas atteinte à papa en supprimant son descendant direct ? Papa ne serait-il pas plus en colère que fier ? Pourquoi ne parvenait-il pas à lui signifier ses désirs ? Marty savait que c'était impossible et qu'il devrait prendre la décision tout seul.

Il reçut les félicitations et les vœux de ses amis.

— Merci, ne cessait-il de dire. Merci. C'est merveilleux. Oui, c'est une surprise totale. Non, non, je n'ai pas de prénom en tête, pas encore.

Marty adressa un large sourire à Auerbach qui fixa sa caméra sur lui.

— C'est le plus beau jour de ma vie, dit-il haut et fort.

Il haïssait Samantha. Aujourd'hui plus encore. Il voulait la tuer, et la regarder mourir. Mais elle portait l'héritier de papa et tout avait changé.

18

Pour Marty, l'heure était devenue une obsession. Il voulait voir la soirée se terminer, tous ces gens prendre congé et le 5 décembre prendre fin. Il était toujours sous l'effet du choc qu'il avait éprouvé après l'annonce de Samantha et ne savait pas ce qu'il allait faire. Il continua à sourire, à serrer des mains, à écouter des histoires de bébés, mais ses yeux se posaient alternativement sur le ventre de Samantha puis sur sa montre. L'épouvantable Leonard Ross remarqua son manège.

— Dites donc, Marty, vous avez un rendez-vous ?

— Je constate simplement que le temps file à toute allure, dit-il avec un hochement de tête triste. Je voudrais que cette soirée ne se termine jamais.

— Vous en aurez le souvenir. Vous pourrez la raconter à votre enfant.

— Oui, c'est vrai, Len.

Il était 22 heures.

— C'est merveilleux, n'est-ce pas, chéri ?

Samantha jouait toujours le rôle qu'elle devait tenir dans cette pièce et qui était retransmis par les micros dissimulés un peu partout.

— C'est plus que merveilleux. Nous raconterons cette soirée à notre enfant.

Marty n'aimait pas beaucoup emprunter ses commentaires aux autres mais, à cet instant précis, il ne voyait pas la nécessité d'être original.

— J'ai l'intention de prendre quelques dispositions financières dès demain matin, poursuivit-il. Je veux que notre enfant grandisse à l'abri du besoin.

Marty était sincère : s'il se décidait à épargner Samantha, il voulait prendre des dispositions pour que son enfant n'ait pas à lutter comme il avait dû le faire, pour lui assurer la sécurité. Son fils aurait un avenir professionnel solide… et un père qui s'occuperait de lui. Et surtout il ne devrait pas vivre avec une psychose qui l'obligerait à tuer des femmes ressemblant à sa mère. Si Samantha devait vivre, et avec elle le bébé, Marty serait un père parfait.

22 h 30.

Il était en sueur : son front, son visage luisaient comme s'il revenait d'une séance de jogging ou d'une promenade à vélo. Samantha, qui bavardait avec des amis, ne manqua pas de le remarquer.

— Marty, qu'y a-t-il ?

— C'est l'excitation, je suppose.

— Tu ne te sens pas bien ?

— Si, si. Très bien. Mais c'était trop !

Plusieurs de leurs amis faisaient cercle autour d'eux.

— Un peu d'eau ? proposa l'un d'entre eux, inquiet.

— Non, merci. Tout va bien.

Marty était furieux d'attirer l'attention sur lui : il voulait avoir l'air normal, détendu, heureux.

— C'est plutôt à toi qu'il faudrait demander comment tu te sens, dit-il à Samantha.

— Je me porte à merveille.

— Assieds-toi. Tu respires pour deux maintenant.

Elle vint s'asseoir près de lui en souriant ; il passa son bras autour d'elle.

— Tu t'occuperas toujours de moi lorsque le bébé sera là ? demanda-t-il à haute voix pour être sûr d'être entendu par les amis qui étaient près d'eux.

— Plus du tout, plaisanta Samantha.

— C'est bien ce que je pensais. Le père disparaît dans l'oubli.

— Pense aux factures que tu vas avoir le plaisir de payer, lança quelqu'un.

— J'y pense. Si c'est une fille, il me faudra un second emploi pour joindre les deux bouts !

Les plaisanteries continuaient et Marty était toujours en sueur.

22 h 53.

— Peut-être devrions-nous donner le signal de la fin, proposa-t-il à Samantha. C'est un jour de semaine : les gens seront fatigués demain.

C'était effectivement une bonne raison, mais son principal souci était l'heure : dans soixante-sept minutes, le 5 décembre serait terminé.

Samantha ne voulait pas voir la soirée s'achever. Elle aurait arrêté le temps pour éviter de se retrouver seule avec Marty. Elle ne lui répondit pas et fit mine d'être absorbée dans une conversation avec un invité. Marty se dirigea donc vers Tom Edwards qui était plongé dans une discussion sur les vins français avec les serveurs.

— Tom, donnons le signal de la fin. Peux-tu faire quelques allusions ?

— Bien sûr.

Samantha, que la panique faisait pâlir de minute en minute, lui paraissait épuisée.

Il était 23 h 01.

— Quelle merveilleuse soirée, dit Tom à un ami. Mais il est terriblement tard. Il faut travailler demain matin.

Le signal était donné : tout le monde comprit que la soirée se terminait.

La longue cérémonie des adieux commença alors. Marty regarda l'amoncellement de paquets dont certains venaient de boutiques chics de la Cinquième Avenue.

— Mais il n'a pas ouvert ses cadeaux ! s'exclama quelqu'un.

Les invités, pressés de prendre congé, ne relevèrent pas la remarque.

23 h 08.

L'orchestre et les serveurs étaient partis : Samantha avait prévu de faire enlever les tables et le matériel le lendemain.

23 h 13.

Il ne restait plus que quelques traînards, dont Leonard Ross qui voulait faire impression en dissertant sur le plaisir qu'il avait eu à assister à cette soirée inoubliable. Marty trouva son insistance insupportable.

— Si je m'écoutais, Len, lui dit-il, j'aimerais que nous terminions la nuit ensemble avec toute notre petite équipe restreinte. Mais je vous renvoie car je ne veux pas que vous affrontiez ce mauvais temps plus tard dans la nuit.

Ross ne pouvait pas refuser : avec la cordialité d'un diplomate de haut niveau, il distribua quelques remerciements et compliments avant de prendre congé.

23 h 19.

Il ne restait plus que Tom Edwards, affalé dans un fauteuil, un cocktail à la main. Samantha comprit qu'il avait envie de partir le dernier. Il avait participé aux préparatifs de cette soirée et se considérait en fait plus comme un membre de la famille que comme un ami. Samantha, qui lui rendait bien son affection, alla s'asseoir près de lui.

— Quand commence-t-on à s'amuser ? demanda-t-il.

— Si vous n'êtes pas content, cher ami, allez voir ailleurs.

— Qu'est-ce que j'entends ? Une dispute ? demanda Marty.

— Mais non, dit Tom. Je n'ai jamais assisté à une fête aussi grandiose.

— Merci. Mais il faut en remercier d'abord l'instigatrice.

— Tom et Lynne m'ont beaucoup aidée, dit Samantha. Je n'aurais pas pu tout faire toute seule.

— Mais si, Sam, vous avez fait l'essentiel toute seule. Vous êtes une femme super.

Marty ne cessait de regarder nerveusement sa montre.

— Bon. J'y vais, dit Tom. Sinon je serai une loque demain matin. Mais je suis très content de partir le dernier. Cela me donne une certaine importance.

Il s'extirpa péniblement de son fauteuil :

— J'ai un client qui doit venir à 9 heures demain matin, l'un de ces cadres supérieurs qui est muté à New

York. Il va avoir un sacré choc lorsqu'il va découvrir le prix des appartements ici.

— D'où vient-il ? demanda Marty.

— De Denver. Il aurait mieux fait d'y rester. Bien, mes amis, c'était une soirée inoubliable. Vous avez toute la nuit pour ouvrir les paquets. Si vous n'aimez pas mon cadeau, donnez-le-moi. Moi, je l'aime bien. Tant pis s'il est jaloux, ajouta-t-il en embrassant Samantha, j'embrasse toujours la maîtresse de maison.

— Tom, faites bien attention en rentrant.

— Que dirais-tu d'aller jouer au tennis ce week-end ? proposa Marty.

— D'accord, samedi matin.

Tom se dirigea vers l'ascenseur qui arriva immédiatement. Il disparut.

Samantha était donc seule avec cet homme qu'elle aimait et redoutait à la fois.

Dans l'appartement d'à côté, Cross-Wade et ses hommes montaient la garde près du haut-parleur qui diffusait tout ce qui se passait dans l'appartement de Samantha. Cross-Wade était resté en contact téléphonique avec ses autres observateurs postés de l'autre côté du parc, mais il savait que leurs rapports cesseraient dès que les rideaux seraient tirés.

Pendant quelques instants après le départ de Tom, ni Marty ni Samantha ne parlèrent. Marty se contenta de jeter un coup d'œil nostalgique sur l'appartement : Samantha observait le moindre de ses mouvements, de ses regards. Mais il était impassible.

Elle ignorait qu'il n'avait toujours pas pris de décision. Il était 23 h 31 et il n'avait pas choisi entre le rôle de père et celui de bourreau.

Soudainement, il se précipita sur Samantha avec un sourire tendre et des larmes plein les yeux. Il l'embrassa puis fit un pas en arrière pour la regarder comme il l'avait fait le jour de leur mariage.

— Comment puis-je te remercier ?

— Mais tu n'as pas à me remercier, Marty.

— Si, Sam. On ne m'a jamais autant donné. Personne ne m'a jamais rien donné de tel. Je ne te quitterai jamais, Sam. Il y a très peu de mariages heureux et il se trouve que le nôtre en est un.

Cela ne se terminera jamais, pensa Samantha. Il jouera la comédie jusqu'au bout.

— Je tiens à faire ce voyage, si cela ne présente pas de risques pour toi.

— Je suis sûre que tout ira très bien mais je demanderai au médecin, si tu veux.

— J'espère que ce sera une fille. Elle te ressemblera.

— Et si c'est un garçon et qu'il te ressemble, tu seras déçu ?

— Je préférerais une fille, dit-il, les yeux toujours larmoyants. Quelle surprise ! Quelle soirée ! Dis, il faudra que je suive ce cours de préparation à l'accouchement destiné aux futurs pères.

— Oui, j'ai tous les renseignements.

— J'aurais aimé avoir une famille avec laquelle partager cette joie, dit-il dans un accès soudain de mélancolie.

— Je comprends, mais tu verras, nous en créerons une et rien ne nous séparera jamais.

Samantha ne comprenait pas pourquoi Marty lui disait tout cela, pourquoi il insistait ainsi. Cela faisait-il partie du rituel qui devait se dérouler avant le meurtre ?

— Oui, c'est vrai. Nous bâtirons notre famille. Peut-être pourrons-nous aller acheter un landau et des affaires de bébé samedi après le tennis ?

— Cela me paraît un peu tôt.

— Trop tôt pour mon enfant ?

— D'accord, nous irons samedi.

23 h 35.

— L'heureux papa a intérêt à dormir un peu. J'ai une lourde journée demain.

— Je vais ranger, dit Samantha.

Marty alla dans la chambre, tout aussi hésitant. Il aimait parler du bébé mais il était également animé par un profond désir de vengeance. Il lui fallait prendre une décision et il était paralysé. Il jeta un coup d'œil sous le lit pour vérifier que son attaché-case y était toujours. Mais cela ne l'aida pas à décider.

23 h 38.

Il commença à se déshabiller mécaniquement et à poser soigneusement ses vêtements sur une chaise. Puis il enfila son pyjama et attendit Samantha.

Elle arriva peu après, tout étonnée de trouver Marty en tenue de nuit. Cela faisait-il aussi partie du rituel ?

— Tu dois être vraiment fatigué, lui dit-elle. J'aurais plutôt pensé qu'avec toute cette excitation tu n'arriverais pas à dormir de la nuit.

— Je ne suis pas sûr de pouvoir trouver le sommeil.

— Veux-tu du lait chaud ? Cela te calmera peut-être.

— Non, ce serait une triste manière de terminer cette soirée.

Tout d'un coup, Marty se leva et alla vers l'extrémité du lit : Samantha vit alors que l'attaché-case était caché sous le lit. Son cœur se mit à battre à toute allure lorsqu'elle vit Marty le saisir et l'ouvrir. Elle était prête à prononcer les mots qui déclencheraient l'intervention de Cross-Wade et à saisir la lampe en cuivre ou la bombe pour se défendre.

Elle l'entendit fouiller dans ses papiers puis en ressortir son peigne, d'un geste lent.

— Je n'ai pas trouvé le peigne dans la salle de bains, expliqua-t-il. Je l'ai cherché partout.

Samantha poussa un long soupir de soulagement.

— Tu ne te sens pas bien ? lui demanda-t-il.

— Moi aussi, je suis épuisée par toute cette excitation.

— Sam, assieds-toi. Tu dois prendre soin de toi.

Samantha alla s'asseoir sur le lit.

— Tu as peut-être glissé l'autre peigne dans l'une de tes poches par erreur, suggéra-t-elle.

— Oui, c'est possible. Mon anniversaire est presque terminé, dit-il sur le ton d'un petit garçon triste.

— Je sais.

— Je ne veux pas que cela finisse. C'est très important pour moi.

Instinctivement, Samantha se leva et s'approcha de la lampe de chevet.

— Pourquoi te lèves-tu ?

— J'ai la jambe engourdie. Il faut que je bouge un peu, inventa-t-elle rapidement.

— Cela ne t'était jamais arrivé !

— Non, c'est probablement à cause de la grossesse.

Marty eut l'air de se calmer mais son étrange regard d'hostilité ne l'avait pas quitté. Samantha prit peur à nouveau : elle se dit que la prochaine fois qu'il saisirait sa serviette, ce ne serait pas pour prendre un peigne. Elle jeta un coup d'œil au micro comme pour s'assurer que Cross-Wade remarquait bien le changement d'expression de Marty.

23 h 46.

— Ta jambe n'est plus engourdie ?

— Presque plus.

— Parfait.

— Préparons-nous à charger, dit Cross-Wade à son équipe.

Les hommes sortirent de l'appartement en vérifiant leurs armes.

— Mon Dieu, elle n'a pas ouvert le verrou. Leur porte est fermée.

Cross-Wade en avait la clé mais savait qu'il risquait de perdre ainsi des secondes précieuses : il était affolé de ne pouvoir tenir sa promesse de protéger complètement Samantha. Il lui fallait décider : soit il attendait que Marty agisse, soit il entrait sur-le-champ et évitait un meurtre mais renonçait à prendre Marty sur le fait, ce dont il avait besoin. Il décida d'écouter la conversation pendant quelques minutes supplémentaires.

— Je me sens beaucoup mieux, dit Samantha qui continuait à jouer son rôle.

— Je veux que tu fasses attention à toi. Tu transportes un trésor.

— Je sais bien.

— Viens donc t'asseoir.

Que pouvait-elle dire ? Il était 23 h 47. Elle se dirigea lentement vers le lit puis, en un éclair, se souvint.

— Un instant, je n'ai pas fermé la porte.

— Je l'ai fait.

— Tu es sûr ?

— Absolument. Je l'ai fait après le départ de Tom.

— Je préfère vérifier.

— Mais, Sam, je t'assure que j'ai fermé ce verrou.

— Je me méfie. As-tu entendu ce qui s'est passé aujourd'hui ?

— Non.

— Tu sais, Mme Klein, de l'étage au-dessus, a été agressée dans son appartement et cambriolée.

Samantha soupira en bonne actrice qu'elle était.

— Elle n'avait pas fermé son verrou.

— Bien. Je vais voir.

— Marty, cesse de me traiter comme si j'étais malade. Je suis simplement enceinte ! ajouta-t-elle avec un sourire.

Il ne bougea pas. Samantha alla jusqu'à la porte et ouvrit le verrou, comme le lui avait recommandé l'inspecteur.

Pour Cross-Wade, qui écoutait cette conversation, Samantha était une sorte de sainte.

23 h 48.

Samantha revint dans la chambre et s'assit aux côtés de Marty. C'était risqué mais elle avait l'impression de maîtriser la situation. Maintenant que la porte était ouverte, Cross-Wade pouvait intervenir en quelques secondes. Marty semblait perdu dans ses pensées : il n'avait toujours pas pris de décision.

— À quoi penses-tu ?

— Je cherche des prénoms.

— C'est un peu tôt, non ? dit Samantha.

— Mais c'est un tel plaisir !

— Si c'est un garçon, il s'appellera Martin Everett Junior. J'y tiens.

— Cela me plaît : je pourrais ainsi commencer une tradition familiale.

— Et si c'est une fille ?

— Aucune idée.

— Pourquoi pas le nom de ta mère ? suggéra-t-elle.

— Non, pas le nom de ma mère, dit-il en se contractant. Je ne l'ai jamais aimée.

Samantha saisit ce nouveau signe. Marty venait de quitter la réalité : c'était une question de minutes, peut-être même de secondes.

Cross-Wade eut la même pensée. À 23 h 49, il alla se poster, en compagnie de Loggins et d'un troisième policier, derrière la porte de Samantha, prêt à intervenir. Ils suivaient maintenant tous les trois la conversation à l'aide de petits écouteurs.

— Et si on lui donnait le nom de ma mère ? proposa Samantha.

— Pourquoi faudrait-il lui donner le nom de l'une de ses grand-mères ? Je propose de l'appeler Ruth Lenore.

— C'est très beau. Tu viens juste de trouver ce nom ?

— Non. Mon père a toujours dit qu'il aimait beaucoup ce prénom et que, s'il avait une fille, il l'appellerait Ruth Lenore.

— Eh bien, c'est d'accord. Si nous avons une fille, nous l'appellerons ainsi.

— C'est papa qui aurait été content.

C'était vrai : il avait tant désiré avoir une fille qui s'appellerait Ruth Lenore. Mais pour Samantha, c'était une nouvelle indication : Marty était devenu le petit garçon qui adorait son papa.

23 h 51.

— C'est vraiment triste, reprit Marty, que papa ne puisse avoir la chance de connaître sa petite-fille.

— Oui, c'est dommage qu'il soit mort si jeune.

— Il aurait été très gentil avec sa petite-fille.

Marty avait un regard vide, donnait l'impression d'être dans un autre monde. Il parlait en fait de son vrai père, le père de Frankie Nelson, et non de celui qu'il avait inventé de toutes pièces au cours des récits qu'il faisait à Samantha.

— Je suis sûr qu'elle aurait été la petite-fille la mieux élevée de la ville. Papa s'en serait occupé.

Samantha était de plus en plus effrayée par le regard de Marty et par son monologue morbide. Elle vérifia que la bombe paralysante était bien à sa place puis s'approcha à nouveau de la lampe de chevet. Il était 23 h 52.

Dehors, sur le palier, Cross-Wade était convaincu que l'heure était arrivée et demanda à Loggins et à l'autre détective de se préparer à intervenir.

— Papa lui aurait acheté des robes et des rubans. Papa a toujours été si gentil avec moi. T'ai-je parlé de la fois où il m'a fait traverser tout le square sur son dos ?

— Non.

— Il l'a fait, et pourtant, il avait mal au dos. Mais il voulait me faire plaisir. Maman n'était pas avec nous : elle ne venait jamais au square. Mais papa, lui, aimait bien ; c'est comme les trains électriques, il les adorait. Mais c'était difficile d'en acheter : les temps étaient durs.

— Je sais, tu m'en as déjà parlé.

23 h 53.

— Il m'en a acheté, des trains, malgré cela. Les mêmes que ceux que j'ai là, les plus beaux. Papa voulait que je me dépêche d'aller à l'université. C'est vraiment dommage qu'il n'ait pas été là pour la remise des diplômes.

Il se tut, regarda sa montre plusieurs fois puis dit :

— Viens ici.

Samantha ne bougea pas.

— Viens donc près de moi.

Cross-Wade posa la main sur le bouton de la porte. Samantha resta toujours immobile.

— Tu as peur de moi ? demanda-t-il en s'approchant d'elle.

Elle jeta un coup d'œil à la lampe. Marty la prit dans ses bras.

23 h 54.

Il la garda ainsi contre lui pendant une minute sans dire un mot.

23 h 55.

— Papa aurait aimé voir notre bébé, j'en suis sûr, dit-il avant d'aller s'enfermer dans la salle de bains.

Samantha entendit l'eau couler pendant un certain temps, puis Marty ressortit et revint vers le lit, regardant en direction de son attaché-case. Elle était prête à prononcer les mots qui donneraient à Cross-Wade le signal d'intervenir.

23 h 58.

Marty sourit à Samantha et l'embrassa.

— Merci pour cette merveilleuse soirée, et pour le bébé.

23 h 59.

Sans un mot de plus, il se coucha et ferma les yeux.

Samantha n'arrivait pas à y croire : le 5 décembre appartenait au passé.

Martin Everett Shaw en avait décidé ainsi.

19

Samantha ne pouvait détourner son regard de Marty. Puis elle jeta un coup d'œil à l'horloge qui se trouvait sur le bureau. Il était 0 h 01. C'était terminé.

Tous les muscles de son corps se détendirent : elle eut l'impression de revenir à la vie. Les espoirs vagues qu'elle avait eus pendant ce cauchemar étaient bien fondés : Marty n'était pas un meurtrier. Elle ne savait toujours pas qui il était mais elle venait d'avoir la confirmation qu'il n'était pas ce pathétique petit garçon d'Omaha. Spencer Cross-Wade n'avait pas seulement reçu le mauvais dossier médical, il avait été victime d'une autre erreur. Certes, il y avait des similitudes, notamment entre cette chambre et celle d'Omaha, mais les similitudes étaient parfois trompeuses ; Cross-Wade lui-même le lui avait déjà dit. Elle ne pouvait pas tout expliquer pour le moment mais elle avait au moins une certitude : elle était allongée aux côtés d'un homme innocent qui, ce 6 décembre à l'aube, n'était qu'un futur papa impatient.

Les trois inspecteurs étaient toujours derrière la porte, déconcertés. Cross-Wade était heureux pour Samantha mais dut bien reconnaître que le « schizophrène à date fixe » lui avait bel et bien échappé.

— Je ne comprends pas, chuchota-t-il à ses collègues. Tout prouvait que c'était lui.

— Tout était donc faux.

— Oui, c'est possible. Mais peut-être aussi a-t-il décidé de s'arrêter de tuer, ou de sauter un an.

— Peut-être n'est-ce pas lui ? suggéra Loggins.

— Effectivement. Mais, dans ce cas, une jeune femme a été assassinée quelque part ce soir et j'en porte la responsabilité.

— C'est faux, dit Yang.

— Mais si, j'en porte la responsabilité, sergent. Et demain, il nous faudra repartir de zéro. Retour à la case départ.

La poignée de la porte tourna sous leurs yeux. La porte s'ouvrit. Samantha ne fut nullement étonnée de voir les inspecteurs regroupés derrière sa porte mais elle fut surprise de voir Yang.

— J'ignorais… dit-elle en le regardant.

— J'ai tenu à être présent.

— Je n'ai aucune réponse à vous proposer, lui dit Cross-Wade.

— Moi non plus, répondit-elle en le serrant dans ses bras.

— J'ai le sentiment d'avoir bien mal fait mon travail. Je vous présente toutes mes excuses.

Les deux autres inspecteurs se retirèrent par discrétion.

— Je sais bien que vous avez fait votre possible. Qui sait ce qui se passe dans la tête de Marty ?

— Comment vous sentez-vous ?

— Soulagée. Énormément soulagée. Mais je ne sais toujours pas qui est mon mari et je vais avoir son enfant.

— Je suis sûr que vous aurez bientôt la réponse. J'espère que vous en serez heureuse.

— Merci beaucoup.

— Nous allons partir mais nous sommes toujours, comme je vous l'ai déjà dit, à votre disposition. Je dois résoudre ce mystère.

— Bonne chance, dit Samantha en lui rendant la bombe.

— Bonne chance, madame. J'attends le faire-part de naissance.

Samantha fit ses adieux aux autres policiers : elle se sentait très proche d'eux, avait avec eux les liens émotionnels qui unissaient toujours la victime aux personnes qui s'occupent de son cas. Elle traîna quelques instants sur le palier puis rentra en silence chez elle.

Samantha jeta un coup d'œil circulaire sur l'appartement endormi. Elle aurait aimé savoir au début de la soirée ce qu'elle savait maintenant. Elle aurait passé un meilleur moment, aurait retrouvé les liens qui l'attachaient à Marty, n'aurait fait qu'un avec lui. En dépit du secret impénétrable qui planait toujours sur son passé, elle était soulagée de savoir qu'il ne voulait pas la tuer.

Elle regagna la chambre et se pencha sur le visage de son mari : il semblait détendu, heureux. Sa respiration était régulière, son corps immobile. Il rêvait probablement : Marty avait toujours beaucoup rêvé. Il imaginait sûrement le bébé, les promenades dans Central Park au milieu des balançoires et des bacs à sable, son premier jour d'école, les entrevues avec ses professeurs. Marty serait heureux d'être père : cela remplacerait la famille qu'il n'avait jamais eue. Samantha recommençait à croire que son passé était noble, malgré le mystère qui l'entourait, et que tout serait éclairci le jour où il aurait son enfant sur ses genoux.

Elle se déshabilla et enfila la chemise de nuit bleue qu'il préférait. Avant de se coucher, elle alla à son bureau et lui écrivit un petit mot : *Nous t'aimons très fort tous les deux.* Elle le posa sur la table de nuit pour être sûre qu'il le trouverait à son réveil.

Samantha se glissa alors dans son lit : la chaleur de Marty la réconforta.

— Bonne nuit, lui murmura-t-elle sans attendre de réponse.

Dehors, les bruits de la ville s'endormaient aussi. Elle repensa à Spencer Cross-Wade et au sergent Yang : ils étaient sans aucun doute déçus de ne pas avoir arrêté le coupable. Mais son esprit s'attarda plus sur la disculpation de Marty et les promesses qu'elle représentait pour l'avenir.

0 h 16.

Samantha s'assoupit.

20

À 0 h 35, Martin Shaw ouvrit les yeux.

Il ne s'était pas endormi. Il avait attendu, attendu le moment exact.

Il avait pris sa décision et rien ne pourrait plus l'arrêter.

Lentement, il se leva et sortit de la pièce.

Samantha, qui n'avait pu trouver le sommeil elle non plus, l'observa du coin de l'œil, pensant qu'il était attiré dans la cuisine par l'une de ses petites fringales nocturnes. Elle décida de ne pas le déranger dans ses pensées et dans ses rêves. Puis elle l'entendit entrer dans le salon. Marty sortit ses trains électriques du placard, les installa sur le sol et les mit en marche.

Samantha ne comprenait plus : que se passait-il ? Peut-être essayait-il simplement de tromper son insomnie en jouant avec ses trains comme d'autres hommes auraient lu un livre ou se seraient plongés dans leur collection de timbres ? Elle se dit que c'était sans doute bon signe, que Marty s'amusait, qu'il pensait probablement au bébé en regardant ses trains.

Marty était fasciné par le spectacle qu'il avait devant les yeux.

— Aimes-tu mes trains, papa ? murmura-t-il. C'est pour toi que je fais cela.

Il revint dans la chambre d'un pas lent et vérifia que Samantha était endormie. Elle resta immobile, tenant à lui préserver ces instants d'intimité. Il prit alors son attaché-case sous le lit et en sortit la cassette vidéo du journal télévisé de Doug Edwards. Samantha ne s'en étonna guère : il achetait souvent des cassettes pour le magnétoscope.

Puis il retourna dans le salon où elle l'entendit pousser des meubles sans savoir qu'il bougeait en fait le vieux téléviseur qui avait été remisé dans un coin pour la soirée. Samantha entendit le bruit de la mise en marche du magnétoscope mais ne s'inquiéta toujours pas : Marty aimait regarder des films à toute heure. Puis elle entendit une voix d'homme qui parlait d'un débit régulier, comme s'il lisait des nouvelles. Elle reconnut cette voix mais ne fut pas capable de l'identifier. C'était une voix qu'elle avait entendue il y a très longtemps.

Douglas Edwards. Voilà ! C'était lui, elle en était sûre. Elle se souvenait très bien de son émission sur la chaîne CBS dans les années 1950 : elle le regardait de temps en temps avec ses parents quand elle était petite.

Pourquoi donc Marty visionnait-il une vieille émission de Doug Edwards ? Ce n'était pas le genre à aimer les documentaires historiques. Il avait peut-être acheté cette cassette comme une relique des débuts de la télévision, ou pour s'en inspirer dans un but professionnel.

Mais pourquoi regardait-il la télévision tout en faisant rouler ses trains ? Samantha était fatiguée et se dit que Marty était agité par les récents événements heureux qu'il venait de vivre.

Il était absorbé dans la contemplation de son émission. Il se souvenait du ton calme et direct de Doug Edwards ce soir-là. Tout était en place. Les trains étaient en marche. Doug Edwards passait sur le modèle 30. Marty vérifia les derniers détails. Il tomba sur le portrait de Samantha que Len Ross lui avait offert de la part du personnel : qu'avait-il à faire de cela ? Il alla le mettre hors de sa vue et de sa portée, dans la cuisine.

Il était maintenant prêt pour le dernier grand rituel avant l'acte.

Il revint lentement dans la chambre ; Samantha faisait toujours semblant de dormir. Marty vint près d'elle et saisit le réveil qui était posé sur sa table de nuit.

Samantha ouvrit délicatement un œil pour l'observer.

Marty recula l'heure du réveil exactement d'une heure.

Il remit le réveil à 23 h 48.

Il revint au 5 décembre.

La panique figea Samantha.

Marty prit alors l'horloge qui se trouvait sur son bureau et recula la date d'un jour. Samantha le vit passer du 6 au 5.

Pourquoi ? Que se passait-il donc dans sa tête ?

Il erra dans l'appartement, s'arrêta plusieurs fois : Samantha comprit qu'il reculait toutes les horloges, qu'il remontait le temps. Il revenait au 5 décembre.

Elle tenta de se raisonner, de se convaincre qu'il ne faisait rien de grave, que c'était là une petite lubie sans conséquence. Elle resta dans son lit, paralysée par la peur.

Marty contemplait avec satisfaction ce qu'il venait de faire. Tout était en place comme cette nuit de décembre 1952, bien plus fidèlement qu'à l'occasion de ses précédents crimes, qui avaient dû avoir lieu à l'extérieur. La mise en scène était parfaite.

— J'espère que tu es fier de moi, papa.

Cette fois, il parla à voix haute : Samantha l'entendit distinctement.

— J'ai fait tout ce que j'ai pu, papa. Tu entends l'émission de Doug Edwards, n'est-ce pas ? Je suis sûr que tu l'entends, et les trains aussi. Les mêmes que ceux que tu m'as offerts. Je les ai installés comme tu l'avais fait.

Samantha décida d'aller voir ce qui se passait dans le salon.

— Tout est exactement fidèle, papa, poursuivit Marty. J'ai fait tout mon possible.

— Que se passe-t-il ? demanda Samantha.

Marty la regarda fixement sans répondre.

— Dis-moi ce qui se passe, insista-t-elle.

Marty jeta un coup d'œil à l'horloge murale : il était 23 h 53. Ses lèvres se mirent à bouger sans laisser échapper aucun son ; il avait une expression bizarre, indécise. Puis il se mit à parler d'une voix douce et gentille, presque respectueuse.

— Je trouverai du travail, dit-il.

— Mais Marty, tu en as déjà un, répondit Samantha. Tu diriges une société. Que t'arrive-t-il ?

— Je tenais à lui offrir ces trains : cela faisait si longtemps qu'il en avait envie.

— Qui donc, Marty ?

— Pas devant les enfants, Alice !

— Mais qui est Alice ? De quoi parles-tu ?

— Frankie adore les trains.

— Frankie ?

Samantha, en un éclair, se souvint que Frankie Nelson était le nom de ce garçon d'Omaha qui, d'après Cross-Wade, était devenu un assassin à date fixe.

C'était donc vrai ! Il n'y avait plus aucun doute : Marty était Frankie. Elle avait devant elle Frankie qui se replongeait dans le passé, dans cette journée horrible du 5 décembre dont il était prisonnier.

Il avait reculé l'heure et la date.

Pour lui, c'était le 5 décembre.

Il allait la tuer, Samantha en était sûre. Et la police ne la protégeait plus. Elle était seule. Seule avec lui.

— Je ne suis pas un bon à rien. J'ai juste besoin de souffler un peu.

— Mais qui a dit que tu étais un bon à rien ?

— Pas devant les enfants, Alice !

Peut-être devrait-elle crier. Non. Cela affolerait Marty. Il en terminerait avec elle avant même que des secours n'arrivent. Et si elle se précipitait vers la porte ? Il réussirait à l'attraper. Non, elle devait essayer de se défendre toute seule.

— Les enfants vont découvrir la vérité à ton sujet, Alice ! Où as-tu passé la nuit ?

— Marty, que dis-tu ?

— Pas devant les enfants, Alice !

— Non, jamais, Marty.

— Viens avec moi dans la chambre, lui ordonna-t-il.

— Pourquoi ?

— Viens avec moi.

Samantha jeta un coup d'œil à la porte : Marty lui barrait la route. Il ne la laisserait jamais passer. Elle le suivit dans la chambre.

— Je me débrouillerai pour l'argent des trains.

— Mais bien sûr.

L'attaché-case n'était plus sous le lit : Marty l'avait sorti pour prendre la cassette. Il était maintenant posé contre la table de nuit. En un éclair, il saisit le marteau et la chaîne.

— Non, cria Samantha en courant vers la porte.

Marty fut plus rapide qu'elle et lui barra le chemin. Samantha se débattit de toutes ses forces.

— Ne fais pas cela. Je veux que tu restes ici, maman.

— Je ne suis pas maman. Je suis Samantha.

Marty ne répondit pas et leva le marteau.

Samantha poussa un hurlement et lança la lampe sur lui : la pointe de métal le blessa au bras.

— Tu n'es pas gentille, maman, dit Marty en voyant le sang jaillir. Une gentille maman ne doit pas faire mal à Frankie. Tu n'as jamais été gentille.

Il se rapprocha d'elle ; Samantha se protégea derrière les meubles. Elle parvint à saisir un réveil et tenta de le remettre à l'heure.

— Nous sommes le 6 décembre, Marty. Le 6.

Mais Marty lança le marteau et réussit à faire échapper le réveil de ses mains. Il tomba sur le sol avant qu'elle ait pu changer l'heure.

Elle tenta alors de fuir dans la cuisine. Il y avait des couteaux dans la cuisine. Des couteaux !

— Pas devant les enfants, Alice ! répétait-il inlassablement.

— C'est trop tard. Marty. Nous sommes le 6 décembre. Tu ne peux rien changer. On ne peut pas remonter le temps. Tu ne peux pas me tuer : c'est trop tard !

— Pas devant les enfants, Alice !

Samantha ouvrit le tiroir des couverts. Elle fut effarée. Il n'y avait pas de couteau. Ils avaient tous été utilisés au cours de la soirée et rangés dans le lave-vaisselle… qui se trouvait près de Marty.

Samantha n'avait plus d'espoir. C'était fini.

Marty s'approchait lentement d'elle. Elle recula contre la table, trop effrayée pour crier.

— Papa, dit-il avec un sourire grimaçant, c'est pour toi.

Il leva le marteau au-dessus de sa tête.

Tout à coup, un bruit sourd retentit derrière lui.

Samantha vit un éclair puis entendit un bruit assourdissant suivi d'un long gémissement.

La grimace de Marty se figea.

Il s'effondra.

— C'est fini, dit Cross-Wade en rangeant son revolver. Je suis désolé que cela se soit terminé ainsi.

Samantha entendait à peine : elle était toujours assourdie par le coup de revolver. Le choc l'avait paralysée, anéantie. Cross-Wade, d'un geste affectueux, la fit sortir de cette chambre des horreurs. Elle vit au passage son portrait qui était éclaboussé du sang de Marty : ses cheveux, qui avaient symbolisé l'obsession de Marty, étaient tout ensanglantés.

— Asseyez-vous, lui dit Cross-Wade. Essayez de vous calmer. Tout danger est écarté.

Il arrêta les trains, éteignit le vieux téléviseur : les reliques du passé de Marty devinrent inanimées.

— Comment avez-vous deviné ? demanda Samantha.

— Certains appellent cela le « flair du détective », expliqua Cross-Wade. En rentrant chez moi, j'ai regardé l'heure machinalement. Tout d'un coup, il m'est apparu que nous étions le 6 décembre ici mais qu'à Omaha, dans le Nebraska, le seul endroit qui comptait dans cette affaire, c'était toujours le 5. Ils ont une heure de décalage horaire là-bas. Marty vivait à New York mais ce jour précis fonctionnait selon l'heure d'Omaha.

— Il a reculé toutes les pendules, murmura Samantha.

— Oui, il les a mises à l'heure d'Omaha. Votre mari désirait accomplir une vengeance parfaite. Il a tenté de reproduire, aussi fidèlement que possible, la nuit de cauchemar qu'il a vécue le 5 décembre 1952.

— Ce n'est pas Marty qui a voulu me tuer cette nuit, dit Samantha d'une voix faible. C'est Frankie.

— Absolument.

— J'aimerai toujours Marty.

— Je l'espère, dit Cross-Wade avant de téléphoner au médecin légiste.

C'était terminé. La terreur du « schizophrène à date fixe » avait pris fin.

Épilogue

Les obsèques de Marty eurent lieu quatre jours plus tard. Il n'avait laissé aucune instruction mais Samantha savait qu'il aurait aimé être enterré à Omaha. Elle y fit donc transporter sa dépouille et le fit enterrer dans le cimetière où il se rendait si souvent, près de son père, sous son vrai nom : Frankie Nelson. Samantha veilla également à faire réparer et nettoyer la tombe de son père.

Elle avait invité les amis de Marty à l'accompagner à Omaha mais comprit que le prix du voyage et le scandale qui avait entouré le décès étaient très dissuasifs. Un seul ami accepta son invitation : Tom Edwards, l'ami de toujours, l'épaule sur laquelle elle pouvait s'appuyer. Ce fut lui qui prit toutes les dispositions avec les pompes funèbres d'Omaha, régla les questions administratives et commanda les fleurs. Partout, on pensait qu'il était un proche parent de Samantha.

Dans les mois qui suivirent le décès de Marty, certains des amis de Samantha l'évitèrent comme si elle avait pu être contaminée par cette schizophrénie dont les journaux avait fait largement état. Lynne elle-même se cantonna dans une politesse prudente. Seul Tom était dévoué et attentionné. Il rendit visite à Samantha tous les jours, l'invita à dîner, au cinéma, au théâtre. Il l'accompagna même chez le médecin lorsque la date du terme approcha.

Tom et Samantha devinrent très proches. Pour Samantha, Tom remplaçait le Marty d'avant Frankie, ce Marty à qui il ressemblait tant. Elle était heureuse de pouvoir garder ce souvenir vivant du Marty qu'elle avait aimé.

Le bébé, un garçon, naquit à terme. Sur les conseils de Tom, il fut prénommé Martin Everett Junior.

Après la naissance, les liens qui unissaient Tom et Samantha se renforcèrent : ils se voyaient trois ou quatre fois par semaine pour promener le bébé. L'inévitable se produisit alors : quatorze mois après la mort de Marty, Tom et Samantha se fiancèrent.

À la veille de leur mariage, Tom dit à Samantha qu'il voulait aller se recueillir sur la tombe de Marty ; il désirait rendre seul cet hommage à son grand ami.

Samantha en fut très émue et ne l'en aima que plus. Elle respecta son désir d'être seul.

Par un jour glacial et triste, il se rendit à Omaha.

Il se recueillit devant la tombe de Marty et prononça les mots suivants :

— Je pense à toi tous les jours. Personne ne sait ce que nous étions l'un pour l'autre. Personne ne le soupçonne. Je vais bientôt l'épouser et je poursuivrai ton action. Je ferai ce que tu voulais faire… pour toi et pour papa. Je t'en fais le serment solennel. Le 5 décembre approche. Elle ne saura pas cette fois ; elle ne pourra y échapper. Repose en paix, mon frère.

Puis il quitta le cimetière.

Deux semaines plus tard, Samantha Shaw épousa Tom Edwards.

Le lendemain du mariage, Tom prit le train pour le Queens et acheta un marteau et une chaîne.

Du même auteur :

Violation de domicile, Presses de la Cité, 2013.

Le Livre de Poche s'engage pour l'environnement en réduisant l'empreinte carbone de ses livres. Celle de cet exemplaire est de :
300 g éq. CO_2
Rendez-vous sur
www.livredepoche-durable.fr

Composition réalisée par NORD COMPO

Achevé d'imprimer en septembre 2013, en France sur Presse Offset par
Maury Imprimeur – 45330 Malesherbes
N° d'imprimeur : 184250
Dépôt légal 1re publication : octobre 2013
LIBRAIRIE GÉNÉRALE FRANÇAISE – 31, rue de Fleurus – 75278 Paris Cedex 06

31/7375/4